Étonnants Végétaux

Cet ouvrage a été conçu et réalisé par Weldon Owen Pty Limited

Président : John Owen
Éditeur : Sheena Coupe
Direction éditoriale : Rosemary McDonald
Direction artistique : Sue Burk
Recherche iconographique : Karen Burgess
Directeur de fabrication : Caroline Webber
Vice-directeur général, responsable des ventes internationales : Stuart Laurence

Texte : Lesley Dow
Traduction et adaptation : Josette Gontier

Illustrateurs : Susanna Adario ; Jon Gittoes ; David Mackay ; Martin Macrae/Folio ;
Iain McKellar ; James McKinnon ; David Moore/Linden Artists ; Nicola Oram ; Jane Pickering/Linden Artists ;
Trevor Ruth ; Claudia Saraceni ; Michael Saunders ; Kevin Stead ; Thomas Trojer ;
Rod Westblade ; Ann Winterbotham

ISBN : 2-09-277225-2
Numéro d'éditeur : 10042735

Composition : PFC - Préface - Dole
Imprimé à Hong Kong

Étonnants Végétaux

TRADUCTION ET ADAPTATION

JOSETTE GONTIER

NATHAN

Sommaire

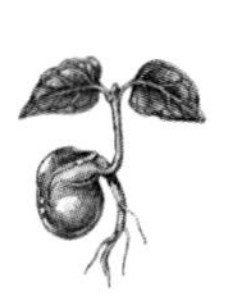

• QU'EST-CE QU'UNE PLANTE ? •

• LE RÈGNE VÉGÉTAL •

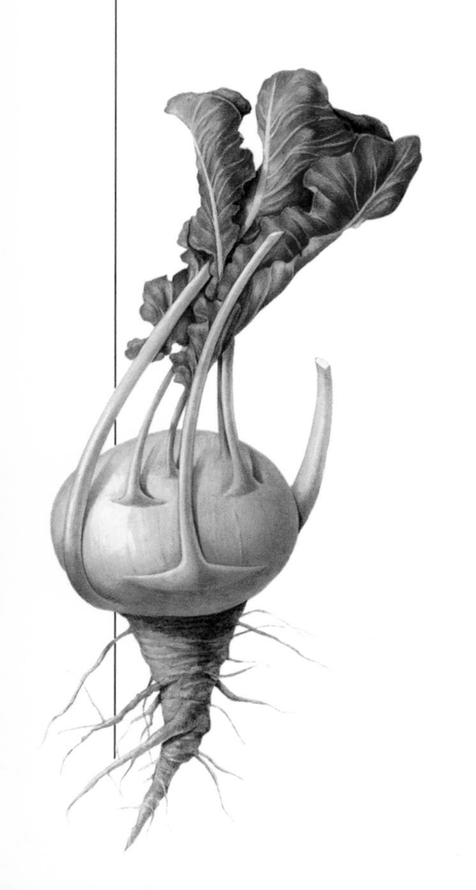

• OÙ VIVENT LES PLANTES ? •

• LES PLANTES ET L'HOMME •

Introduction

Les plantes constituent l'une des clés de la survie de tous les autres êtres vivants. Elles fournissent aux hommes et aux animaux l'oxygène nécessaire à la respiration, ainsi qu'une bonne partie de leurs aliments. Les spécialistes des plantes, ou botanistes, ont répertorié et décrit plus de 350 000 espèces de végétaux, mais il en existe beaucoup d'autres. Elles présentent une grande variété de tailles et de formes. Certaines ne sont visibles qu'au travers d'un microscope, d'autres sont si grandes qu'il faut des jumelles pour en distinguer la cime. De nombreux végétaux possèdent des fleurs aux couleurs éclatantes, d'autres en sont dépourvus. Si les plantes peuvent être d'aspects si divers, c'est parce qu'elles vivent dans des milieux différents : sur la terre ou dans l'eau, au cœur des forêts denses ou en rase campagne, sur des montagnes très froides ou dans des déserts brûlants. Au cours de millions d'années, elles se sont adaptées à leur environnement.

GROSSIE AU MICROSCOPE
Cette minuscule diatomée, une algue unicellulaire, est l'une des plantes les plus simples. Ses ancêtres vivaient à l'époque des dinosaures. Il faudrait 50 diatomées pour recouvrir le point qui termine cette phrase.

UNE INFINITÉ DE FORMES ET DE TAILLES
Les plantes poussent dans presque tous les milieux. Leur taille et leur forme s'y sont adaptées et leur permettent de se procurer l'eau et les substances nutritives nécessaires à leur vie.

La Cellule Végétale

Tous les êtres vivants sont formés de cellules microscopiques. La plupart possèdent un noyau et des mitochondries qui transforment les sucres en énergie. Cependant, seules les cellules végétales ont des chloroplastes qui contiennent de la chlorophylle, utilisée pour fabriquer les réserves de nourriture de la plante. Elles sont aussi les seules à posséder des membranes rigides constituées de cellulose.

Cellules végétales

Une cellule végétale

Chloroplaste

Membrane

Noyau

Cytoplasme

Mitochondrie

PORTRAIT D'UNE PLANTE
Les plantes fabriquent leur propre nourriture, à partir des sels minéraux qu'elles puisent dans le sol, et possèdent des cellules aux membranes constituées de cellulose. Elles poussent pendant toute leur vie et restent généralement enracinées au même endroit.

Le Saviez-Vous ?

La plupart des plantes croissent jusqu'à leur mort. En revanche, beaucoup d'animaux cessent de grandir lorsqu'ils ont atteint la maturité ou l'âge adulte. En général, un être humain termine sa croissance vers la fin de l'adolescence.

Anatomie

Contrairement à l'algue verte unicellulaire (à gauche), la plupart des plantes possèdent des milliers de cellules. Chaque partie d'une plante a son propre groupe de cellules spécialisées. Une plante à fleurs se compose de quatre parties : la racine, la tige, la feuille et la fleur. Racine, tige et feuille contiennent du xylème, tissu conducteur de l'eau et des sels minéraux, et du phloème, ou liber, qui transporte les éléments nutritifs (nourriture) fabriqués par la plante à partir des sels minéraux. Chaque partie de la plante a une fonction donnée. La racine fixe la plante dans le sol, où elle absorbe l'eau et les sels minéraux indispensables à son développement. La tige permet à la plante de se diriger vers la lumière, et distribue l'eau, les sels minéraux et autres éléments nutritifs à ses différentes parties. Les feuilles fabriquent de la nourriture pour toute la plante et possèdent la plus grande partie des pores ou stomates. Les fleurs renferment les organes de la reproduction.

ATTIRER LES INSECTES
Les pétales de rose paraissent de couleur unie. Au microscope, on voit pourtant que certaines cellules réfléchissent la lumière et rendent la plante plus colorée, ce qui attire les insectes.

LE RÔLE DE LA TIGE
Dans la tige, le xylème conduit l'eau et les sels minéraux du sol vers les feuilles et les fleurs. Le phloème conduit les éléments nutritifs à la fois vers les parties hautes et basses de la plante.

UN TAPIS COMPACT
Les mousses ont un système conducteur moins efficace que celui des plantes à fleurs et ne poussent jamais très haut. Elles forment un tapis dans les zones humides.

TOUJOURS PLUS HAUT
Pour supporter le poids de la plante, certaines tiges fabriquent du bois, tandis que d'autres s'épaississent tout en conservant leur souplesse. Certaines plantes s'aident aussi de vrilles qui s'enroulent autour d'un support.

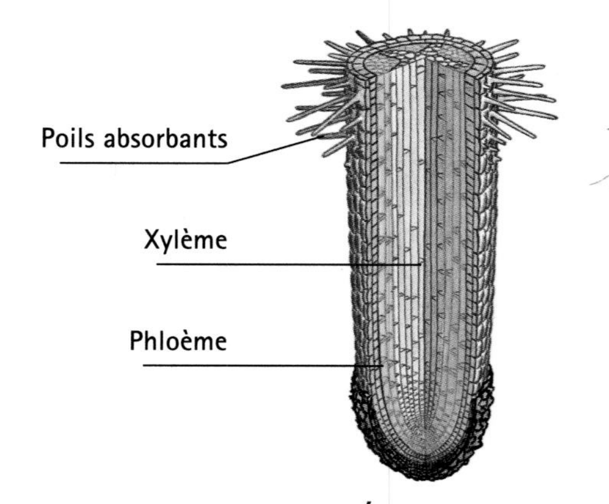

ACCUMULER DES RÉSERVES
Fixés à l'extrémité des racines, des poils fins absorbent l'eau et les sels minéraux du sol. Ces éléments remontent le xylème comme du lait le long d'une paille.
Les éléments nutritifs, énergétiques, atteignent les racines grâce au phloème.

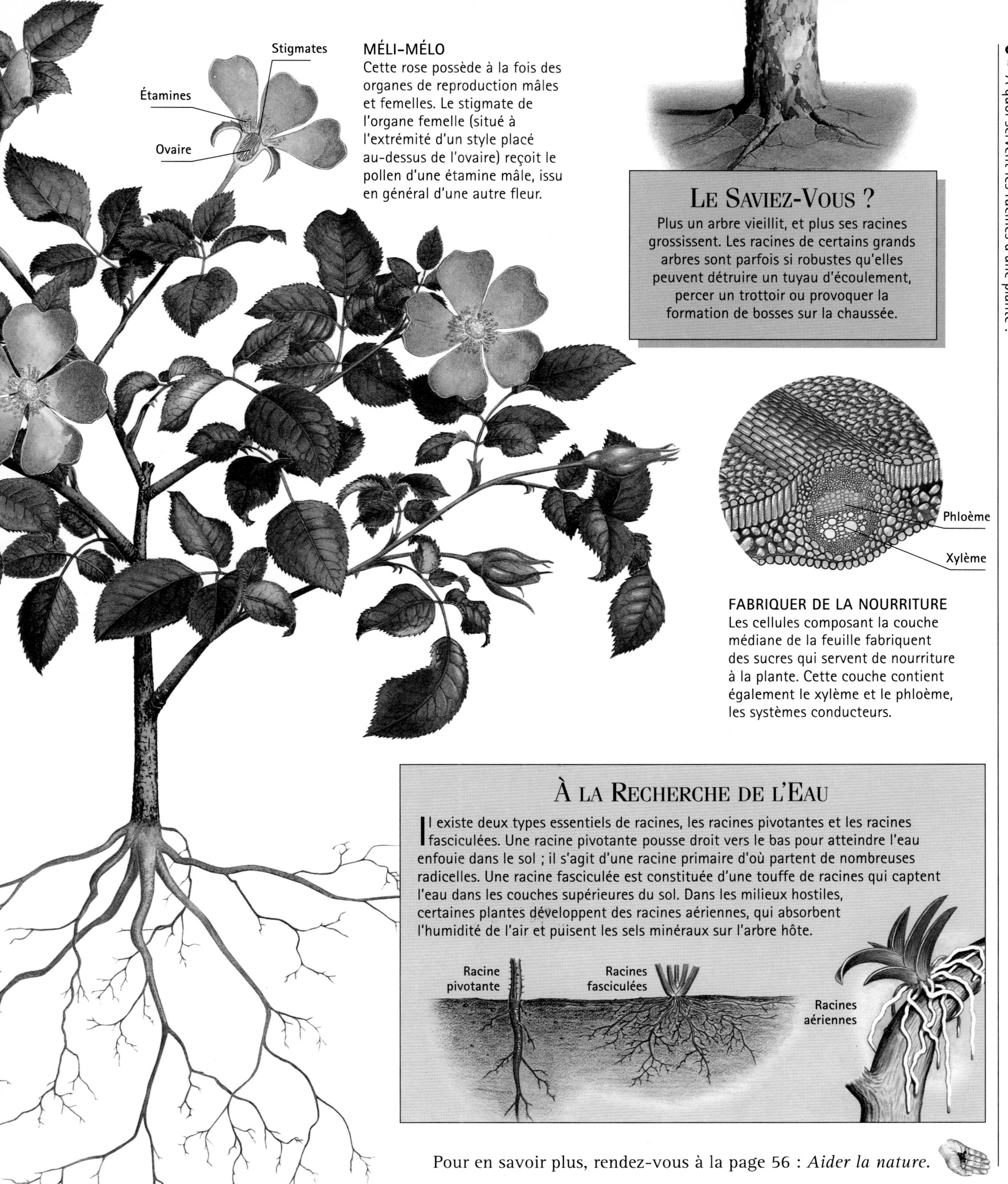

MÉLI-MÉLO
Cette rose possède à la fois des organes de reproduction mâles et femelles. Le stigmate de l'organe femelle (situé à l'extrémité d'un style placé au-dessus de l'ovaire) reçoit le pollen d'une étamine mâle, issu en général d'une autre fleur.

Le Saviez-Vous ?

Plus un arbre vieillit, et plus ses racines grossissent. Les racines de certains grands arbres sont parfois si robustes qu'elles peuvent détruire un tuyau d'écoulement, percer un trottoir ou provoquer la formation de bosses sur la chaussée.

FABRIQUER DE LA NOURRITURE
Les cellules composant la couche médiane de la feuille fabriquent des sucres qui servent de nourriture à la plante. Cette couche contient également le xylème et le phloème, les systèmes conducteurs.

À la Recherche de l'Eau

Il existe deux types essentiels de racines, les racines pivotantes et les racines fasciculées. Une racine pivotante pousse droit vers le bas pour atteindre l'eau enfouie dans le sol ; il s'agit d'une racine primaire d'où partent de nombreuses radicelles. Une racine fasciculée est constituée d'une touffe de racines qui captent l'eau dans les couches supérieures du sol. Dans les milieux hostiles, certaines plantes développent des racines aériennes, qui absorbent l'humidité de l'air et puisent les sels minéraux sur l'arbre hôte.

Pour en savoir plus, rendez-vous à la page 56 : *Aider la nature.*

De l'air, de l'eau

Les plantes produisent leur propre nourriture grâce à la photosynthèse, un processus qui utilise quatre éléments : la lumière du jour (*photos* en grec), la chlorophylle qu'elles fabriquent pour capter et absorber la lumière, l'eau et les sels minéraux tirés du sol, et le gaz carbonique de l'air. La chlorophylle ne se trouve que dans les parties vertes de la plante, en général les feuilles, mais chez certaines espèces comme le cactus (ci-dessus), elle est essentiellement logée dans la tige. À partir de ces quatre éléments, la plante fabrique des sucres et, au cours du processus, rejette de l'oxygène dans l'air. Une partie de cet oxygène est utilisée par la plante au cours d'un autre processus appelé la respiration. Le jour comme la nuit, la respiration transforme les sucres en énergie indispensable à la vie de la plante. Cependant, la plus grande partie de l'oxygène est rejetée dans l'air ; nous l'utilisons pour respirer.

FEUILLES À L'ENVERS
Les stomates de la plupart des plantes se trouvent sur la face inférieure de la feuille. Ceux des nénuphars sont situés sur la surface supérieure, bien exposée à l'air dont ils puisent le gaz carbonique (pour la photosynthèse).

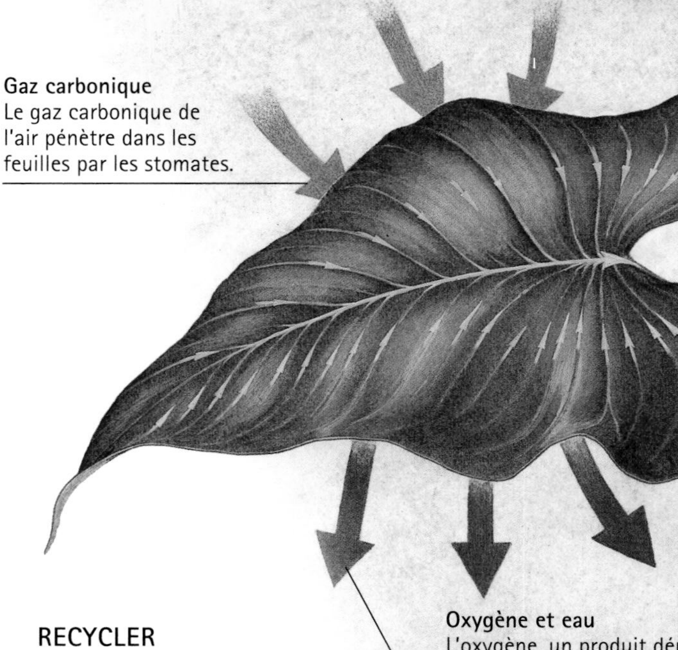

Gaz carbonique
Le gaz carbonique de l'air pénètre dans les feuilles par les stomates.

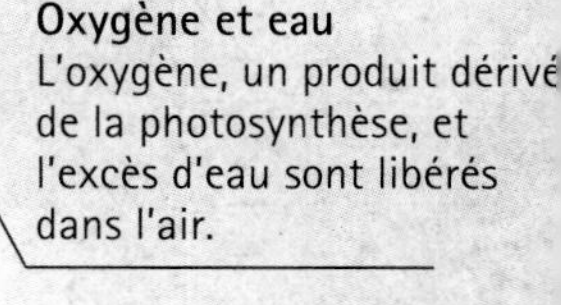

Oxygène et eau
L'oxygène, un produit dérivé de la photosynthèse, et l'excès d'eau sont libérés dans l'air.

RECYCLER
Les feuilles captent la lumière solaire et le gaz carbonique de l'air. Les racines absorbent l'eau et les sels minéraux que le xylème transporte vers les feuilles. La chlorophylle a ainsi tout ce dont elle a besoin pour fabriquer les sucres, que le phloème distribue dans toute la plante.

CONSERVER L'EAU
Comme l'eau s'évapore à travers les feuilles, pour éviter cette déperdition, certains arbres perdent leurs feuilles pendant la saison la plus froide ou la plus sèche de l'année. L'arbre vit alors au ralenti grâce à ses provisions de nourriture, et à ses feuilles, qui fertilisent le sol autour de ses racines.

Le Saviez-Vous ?

Les algues fabriquent de la nourriture grâce à la photosynthèse : elles ont donc besoin de chlorophylle. Chez les algues rouges et brunes, la chlorophylle de couleur verte est cachée par des pigments de couleur foncée qui réussissent mieux à capter la lumière solaire dans la mer.

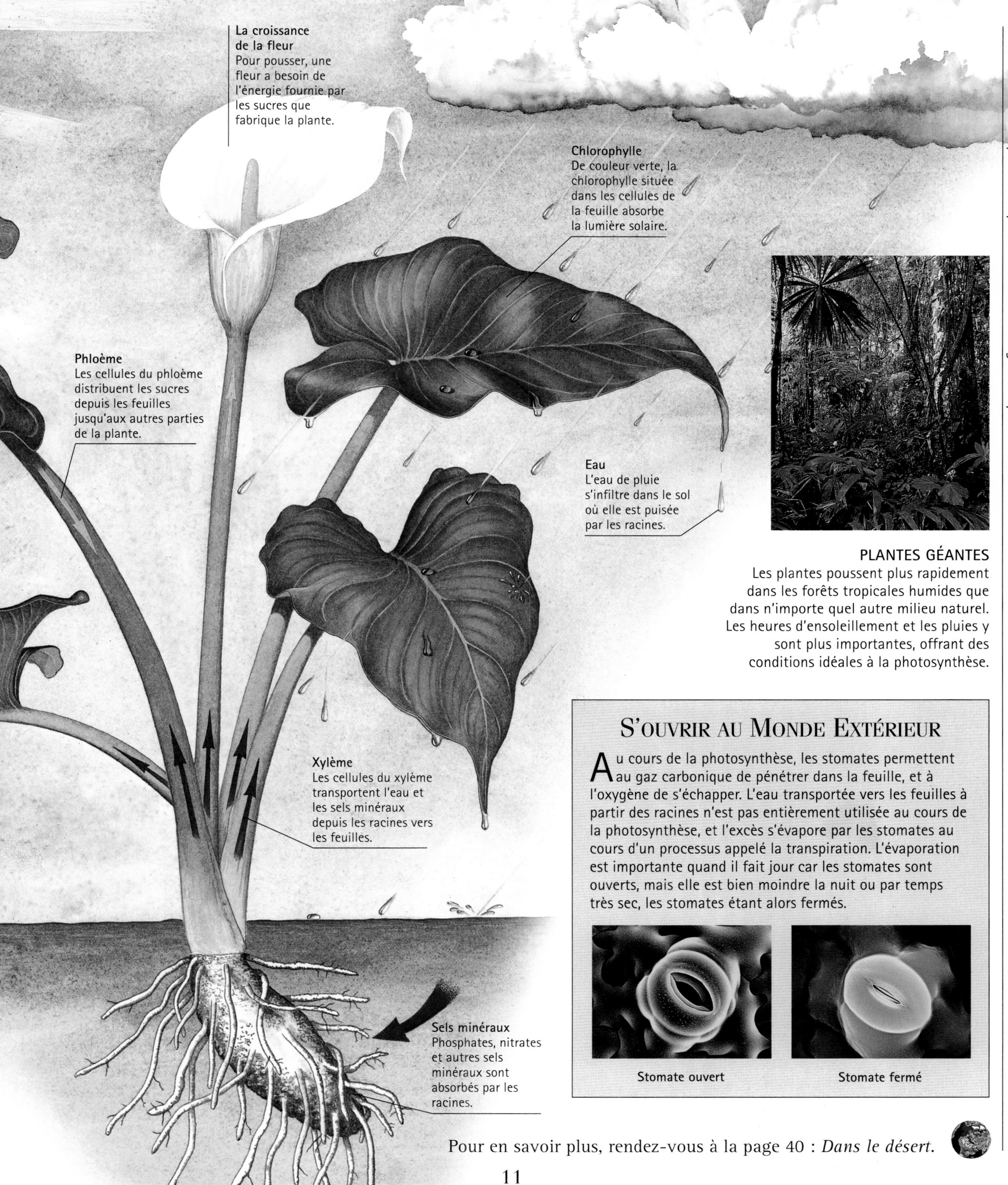

La croissance de la fleur
Pour pousser, une fleur a besoin de l'énergie fournie par les sucres que fabrique la plante.
Chlorophylle
De couleur verte, la chlorophylle située dans les cellules de la feuille absorbe la lumière solaire.
Phloème
Les cellules du phloème distribuent les sucres depuis les feuilles jusqu'aux autres parties de la plante.
Eau
L'eau de pluie s'infiltre dans le sol où elle est puisée par les racines.
Xylème
Les cellules du xylème transportent l'eau et les sels minéraux depuis les racines vers les feuilles.
Sels minéraux
Phosphates, nitrates et autres sels minéraux sont absorbés par les racines.
Stomate ouvert
Stomate fermé

PLANTES GÉANTES

Les plantes poussent plus rapidement dans les forêts tropicales humides que dans n'importe quel autre milieu naturel. Les heures d'ensoleillement et les pluies y sont plus importantes, offrant des conditions idéales à la photosynthèse.

S'ouvrir au Monde Extérieur

Au cours de la photosynthèse, les stomates permettent au gaz carbonique de pénétrer dans la feuille, et à l'oxygène de s'échapper. L'eau transportée vers les feuilles à partir des racines n'est pas entièrement utilisée au cours de la photosynthèse, et l'excès s'évapore par les stomates au cours d'un processus appelé la transpiration. L'évaporation est importante quand il fait jour car les stomates sont ouverts, mais elle est bien moindre la nuit ou par temps très sec, les stomates étant alors fermés.

Pour en savoir plus, rendez-vous à la page 40 : *Dans le désert.*

La reproduction

Les plantes peuvent se reproduire de différentes façons, et certaines en utilisent plusieurs. Dans la reproduction asexuée, une plante unicellulaire se divise, créant ainsi deux plantes identiques entre elles et à la cellule « mère ». Chez les plantes plus évoluées, comme les plantes à fleurs, les conifères et les fougères, la reproduction est sexuée. La nouvelle plante naît de l'union d'une cellule mâle et d'une cellule femelle. Cette plante hérite de certains gènes des deux parents et n'est identique ni à l'un ni à l'autre. Les cellules mâles du pollen doivent atteindre et féconder l'ovule femelle situé dans le pistil. Les plantes étant en général fixées en un endroit, la cellule mâle ne peut réaliser cette tâche que par l'intermédiaire des animaux, du vent ou de l'eau. Chez ces plantes, ce processus est appelé pollinisation. La cellule femelle fécondée se transforme ensuite en un embryon contenu dans une graine.

NOURRIR LA RUCHE
Les pattes postérieures des abeilles portent des poils sur lesquels se colle le pollen des étamines, les organes mâles de la plante (ici, il s'agit d'une fleur de pêcher). Si les abeilles visitent une autre fleur de pêcher dont le stigmate a atteint la maturité, un peu de ce pollen suffit à féconder l'ovaire, qui se transforme en fruit (page de droite).

LA GOUSSE PROTECTRICE
Chez la fleur de pois femelle, l'ovaire se transforme en une gousse qui protège les graines fécondées. La fleur se fane mais les graines continuent à se développer. Nous consommons les délicieuses graines sucrées du petit pois (à droite).

Stigmate
Étamine
Style
Ovule

Pollinisation
De couleur jaune, le pollen issu des étamines est formé de grains qui renferment les noyaux mâles fécondants. Il sera déposé sur le stigmate femelle d'une autre fleur.

Fécondation
Quand les grains de pollen se trouvent sur le stigmate, ils développent un tube très fin qui descend dans le style et s'enfonce dans l'ovaire. Le contenu de chaque grain de pollen s'unit à un ovule. Les ovules fécondés deviennent des graines, à l'intérieur de l'ovaire.

Fruit mûrissant
L'ovaire se transforme en un fruit charnu contenant une graine abritée dans le noyau.

Une nouvelle plante
Lorsque le fruit mûr tombe sur le sol, la graine germe ; une nouvelle plante peut ainsi voir le jour.

LE CYCLE DE LA VIE
Chez les végétaux, la reproduction sexuée n'est pas facile. Ainsi, un nouveau pêcher ne naîtra que si du pollen atteint le stigmate femelle mûr d'une fleur située sur un autre pêcher.

Le Saviez-Vous ?

Tous les fruits ne sont pas charnus comme la pêche. Chaque fleur du pissenlit possède un ovaire qui se transforme en fruit avec une graine unique. Ce fruit, qui porte des aigrettes, est si léger qu'il est entraîné par le vent.

AU CHOIX
Cette colonie de volvox (algue unicellulaire simple) peut se reproduire de façon asexuée en libérant de nouvelles colonies dans l'eau (ci-dessus) ou de façon sexuée, en libérant une cellule mâle et une cellule femelle.

GRAINES NUES
Chaque écaille de ce cône femelle abrite deux graines sans ovaires. Elles sont fécondées par le pollen provenant d'un cône mâle plus petit. Lorsque les écailles s'ouvrent, les graines ailées tombent doucement sur le sol.

Se Reproduire sans Graines

Certaines plantes peuvent se multiplier à partir de leur tige ou de leur racine. De nombreuses fougères ont des tiges horizontales souterraines, appelées rhizomes, qui se ramifient et donnent naissance à une plante identique à la plante mère. Le bulbe de la jonquille se fissure et de nouveaux bulbes poussent sur les côtés. Les fraises produisent des tiges rampantes, ou stolons, qui développent à leur extrémité des racines et des feuilles, formant un nouveau pied.

DEUX STADES
Les spores de la fougère tombées sur le sol donnent naissance à une nouvelle plante, dont les cellules mâles et femelles vont s'unir et former une autre fougère.

Pour en savoir plus, rendez-vous à la page 20 : *Plantes à spores.*

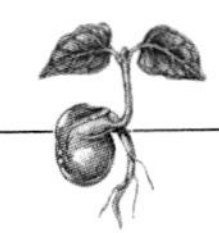

Vers une nouvelle plante

Une graine a besoin de la lumière, l'humidité et la température adéquates pour germer. Pousser directement sous la plante mère n'est pas idéal car celle-ci lui cacherait la lumière et absorberait beaucoup d'eau avec ses grosses racines. Certaines plantes éparpillent leurs propres graines, d'autres dépendent de l'intervention du vent, de l'eau ou des animaux. Toutes les graines ne germent pas tout de suite. L'enveloppe de la graine abrite des réserves nutritives qui permettent à la plante d'attendre des jours, des mois, voire des années avant de trouver les conditions idéales de germination. Surgissent alors de l'enveloppe une pousse et une racine minuscules. Après une période de croissance qui peut varier de quelques jours à plusieurs années, la plante parvient à maturité ; elle est alors capable de se reproduire.

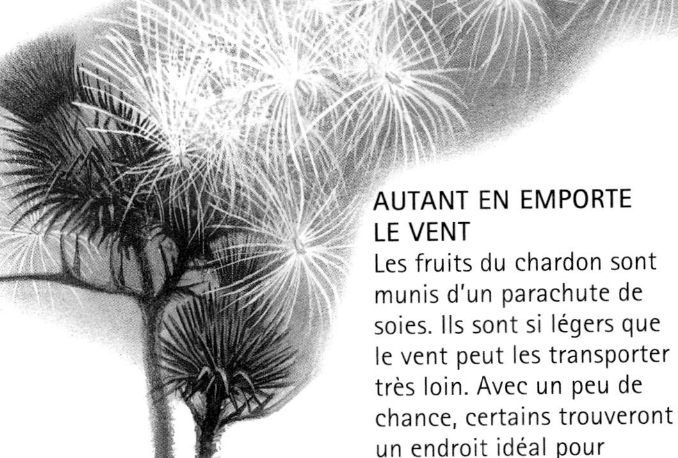

AUTANT EN EMPORTE LE VENT
Les fruits du chardon sont munis d'un parachute de soies. Ils sont si légers que le vent peut les transporter très loin. Avec un peu de chance, certains trouveront un endroit idéal pour germer.

CROCHETS
Après une promenade, peut-être avez-vous déjà remarqué des graines accrochées à vos vêtements ou aux poils de votre chien. Vous y verrez des graines accrochées. En effet, les fruits de certaines plantes, comme le gratteron, sont recouverts de minuscules crochets qui se prennent dans la fourrure des animaux. Ils sont ainsi transportés loin de la plante mère et peuvent germer ailleurs.

CONÇUES POUR VOLER
Les graines de l'érable tournoient dans l'air grâce à leurs ailes, comme l'hélice d'un hélicoptère miniature, puis se posent doucement sur le sol. Si les animaux ne les mangent pas, elles peuvent germer, s'enraciner et pousser.

LES FRUITS DU TRAVAIL
L'instinct de récolte des fourmis est très utile à la survie des plantes. Les fourmis collectent des graines pour se nourrir et les transportent jusqu'à la fourmilière. Celles qui ne seront pas consommées germeront alors dans un sol enrichi.

Le Saviez-Vous ?

Certains fruits explosent pour projeter leurs graines loin de l'ombrage de la plante mère. Ainsi, le giclet, le gui nain et la balsamine de l'Himalaya lancent leurs graines à une vitesse de plus de 14 mètres par secondes.

NOIX DE COCO VOYAGEUSE
Les noix de coco flottent au gré des courants marins jusqu'à ce qu'elles s'échouent sur le rivage. Si elles rencontrent des conditions favorables, elles germent et deviennent de nouvelles plantes qui produiront à leur tour de nouvelles graines.

Flotter
Une noix de coco contenant une graine flotte sur la mer et peut s'échouer sur une plage très éloignée de la plante mère.

Capter la Lumière

Les feuilles sont indispensables pour capter la lumière. Elles poussent sur la tige seules, par paires, ou encore en groupes. Mais si vous les examinez d'en haut, vous vous apercevrez qu'elles sont décalées les unes par rapport aux autres, formant une spirale. Chaque feuille présente une partie de sa surface au soleil, sans être dans l'ombre de la feuille supérieure.

AVALÉ ENTIER
Les chiroptères, les oiseaux et certains autres animaux mangent des fruits dont ils ne digèrent pas le noyau. Enfermées dans une coque qui résiste aux sucs digestifs, les graines transitent à travers leur intestin puis sont expulsées avec les excréments.

Attendre
L'embryon est en sommeil dans la graine mais, dès que les conditions sont favorables, il se nourrit du lait de coco et bientôt poussent une première tige et une première racine.

Se développer
Les racines de la jeune plante absorbent de l'eau, sa tige se développe et la coque se rompt.

Deuxième génération
Le cocotier laissera tomber ses propres fruits. Ceux-ci seront entraînés vers la mer et feront un long voyage qui se terminera par une éventuelle germination.

Carbonifère : de –345 à –280 millions d'années
Apparition des queues de cheval géantes, des pieds-de-loup, des fougères et des cordaïtes. Premiers amphibiens et libellules géants.

Permien : de –280 à –225 millions d'années
Développement des arbres aux quarante écus et des conifères. Apparition des reptiles mammaliens.

Trias : de –225 à –190 millions d'années
Prédominance des cycas. Disparition des cor
Apparition des dinosaures carnivores.

LE RÈGNE VÉGÉTAL

L'origine des plantes

La croûte terrestre s'est solidifiée il y a environ 4,6 milliards d'années, mais, pendant encore plus d'un milliard d'années, sa surface n'a été occupée que par de la matière inerte, comme les rochers et l'eau, à cause des gaz toxiques de l'atmosphère et de la chaleur intense du soleil. Les premiers vrais végétaux sont apparus dans les océans, riches en éléments nutritifs, il y a environ 600 millions d'années et les plantes terrestres primitives voici 400 millions d'années. Comme elles ne possédaient pas de système conducteur d'eau, elles poussaient à proximité des lacs. Ce sont les ancêtres des plantes à spores – pieds-de-loup, queues de cheval et fougères géantes (fougère fossilisée en haut à gauche) – qui formèrent de vastes forêts au carbonifère. Les plantes à graines, comme les conifères, apparues il y a 350 millions d'années, et les plantes à fleurs, datant de 135 millions d'années, ont contribué aux besoins en nourriture et en oxygène des dinosaures.

Carbonifère marécageux
Pieds-de-loup géants (1), queues de cheval géantes (2) et cordaïtes (3) aussi hauts qu'une maison.
Permien plus froid
Les arbres aux quarante écus (4) et conifères (5) se partagent le monde avec d'autres plantes primitives.
Trias plus sec
Les cycas (6) prospèrent.
Jurassique plus froid et plus humide
De nouvelles espèces de conifères, comme le cyprès chauve (7) et l'araucaria, apparaissent dans les sous-bois luxuriants remplis de fougères.
Crétacé florissant
Premières plantes à fleurs, comme les joncs des marais (10), les magnolias buissonnants (11) et les saules (12).
Paléocène
Les plantes à fleurs commencent à dominer le royaume des plantes.

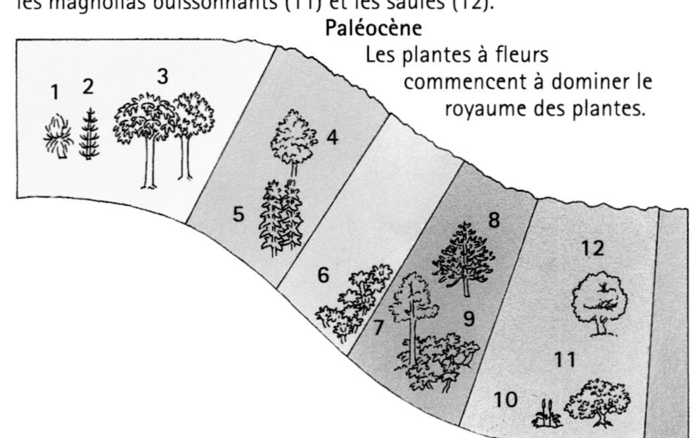

PLANTES TERRESTRES
Pendant des millions d'années, différentes plantes – plantes à spores, conifères et plantes à fleurs – ont dominé la Terre. Le climat a influencé leur vie et celle des animaux. Les plantes qui figurent sur cette illustration poussaient dans l'hémisphère Nord, sous un climat froid.

FOSSILES VIVANTS
Ces stromatolithes d'Australie occidentale sont des structures spongieuses formées par des couches d'algues et de boue, modelées par les courants. On les trouve habituellement à l'état de fossiles. Certains ont 3,5 milliards d'années.

Un Survivant Visqueux

Le dépôt sombre qui se forme dans un bassin à poissons, ou sur un sentier humide est constitué de chaînes d'algues unicellulaires bleu-vert, ou cyanobactéries. Elles n'ont ni racines, ni tige ni feuilles mais elles fabriquent de l'oxygène grâce à la photosynthèse. Les algues bleu-vert constituent les formes de vie les plus anciennes et ont survécu pendant 3,5 milliards d'années dans des milieux aquatiques aussi extrêmes que la banquise arctique et les sources d'eau chaude.

Quelles plantes vivaient sur la Terre il y a 4,5 milliards d'années ?

Jurassique : de –190 à –135 millions d'années
Apparition de nouvelles espèces de conifères. Premiers dinosaures à long cou, dinosaures à armure et reptiles volants.

Crétacé : de –135 à –65 millions d'années
Premières plantes à fleurs, dont les arbres. Apparition des dinosaures à cornes et des reptiles.

Paléocène : de –65 à –54 millions d'années
Prédominance des plantes à fleurs. Disparition des dinosaures. Premiers mammifères de petite taille.

Les premières plantes

Les algues sont les premières plantes du monde. Il en existe 25 000 espèces connues mais elles ont toutes des points communs : elles vivent uniquement là où il y a de l'eau, que ce soit dans un champ enneigé, un terrain désertique ou le ventre d'une baleine. Elles n'ont pas de véritables feuilles, tiges ou racines mais elles contiennent de la chlorophylle, pigment vert qui leur permet de fabriquer leur propre nourriture au cours de la photosynthèse. Elles n'ont pas de graines et se reproduisent par simple division ou fragmentation des cellules. Certaines algues produisent des spores, dans les sporanges de leurs frondes, qui donneront de nouvelles plantes. D'autres se reproduisent sexuellement par fusion des cellules mâles et femelles. Dans tous les cas, il leur faut absolument de l'eau. De nos jours, les algues se partagent le monde avec leurs descendantes plus complexes, les plantes à graines.

CHAMPION DE CROISSANCE
Le varech géant pousse très vite : plus de 30 cm par jour ! Aussi haut qu'un arbre, il forme des voûtes denses, véritables forêts océanes qui fournissent un abri, de la nourriture et de l'oxygène aux animaux marins.

UNE MARÉE EMPOISONNÉE
Cet amas de millions d'algues bleu-vert forme une énorme marée colorée visible de l'espace. Cette marée d'algues étouffe ou empoisonne les poissons qui ont coutume de les consommer.

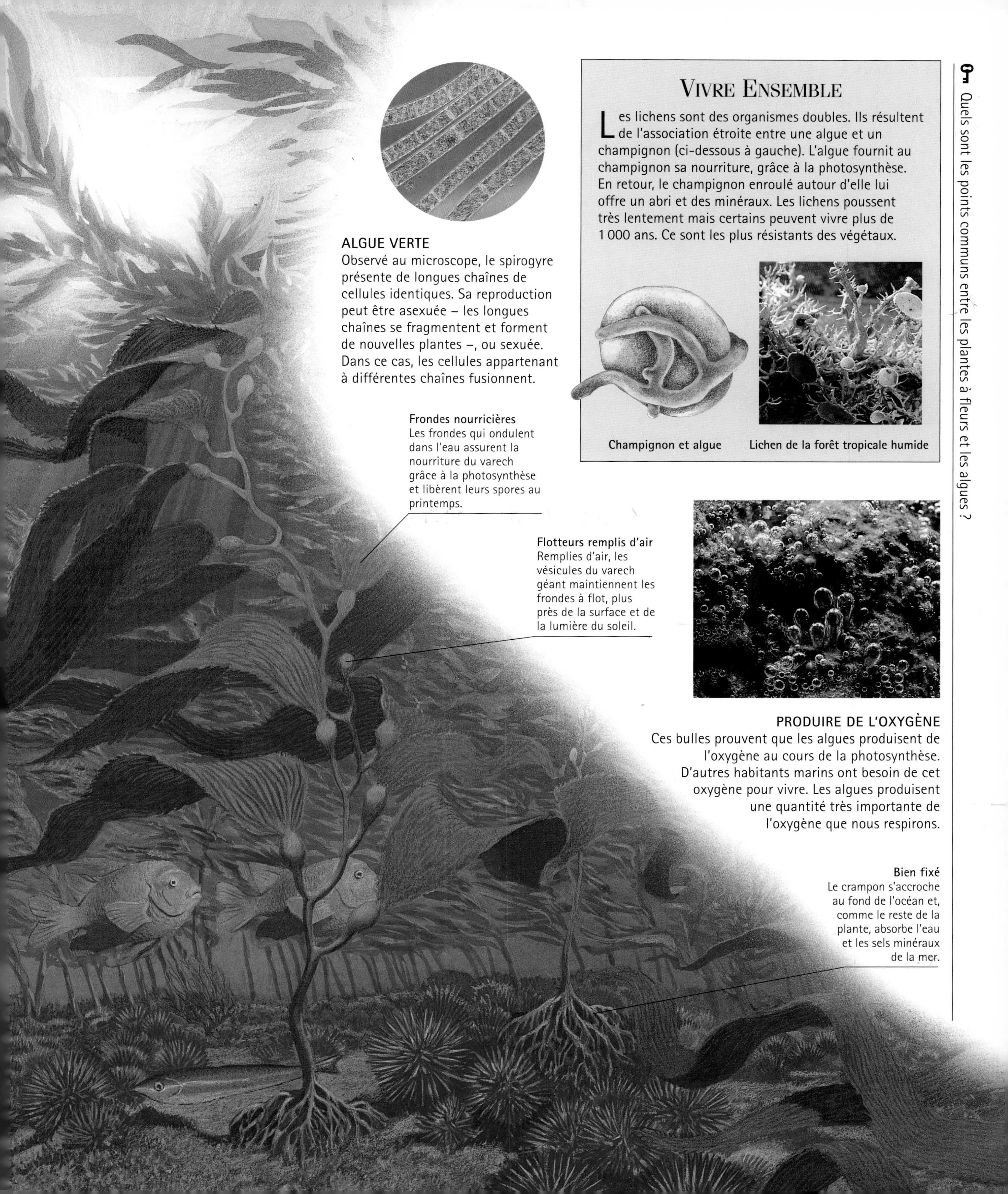

Vivre Ensemble

Les lichens sont des organismes doubles. Ils résultent de l'association étroite entre une algue et un champignon (ci-dessous à gauche). L'algue fournit au champignon sa nourriture, grâce à la photosynthèse. En retour, le champignon enroulé autour d'elle lui offre un abri et des minéraux. Les lichens poussent très lentement mais certains peuvent vivre plus de 1 000 ans. Ce sont les plus résistants des végétaux.

Champignon et algue

Lichen de la forêt tropicale humide

ALGUE VERTE
Observé au microscope, le spirogyre présente de longues chaînes de cellules identiques. Sa reproduction peut être asexuée – les longues chaînes se fragmentent et forment de nouvelles plantes –, ou sexuée. Dans ce cas, les cellules appartenant à différentes chaînes fusionnent.

Frondes nourricières
Les frondes qui ondulent dans l'eau assurent la nourriture du varech grâce à la photosynthèse et libèrent leurs spores au printemps.

Flotteurs remplis d'air
Remplies d'air, les vésicules du varech géant maintiennent les frondes à flot, plus près de la surface et de la lumière du soleil.

PRODUIRE DE L'OXYGÈNE
Ces bulles prouvent que les algues produisent de l'oxygène au cours de la photosynthèse. D'autres habitants marins ont besoin de cet oxygène pour vivre. Les algues produisent une quantité très importante de l'oxygène que nous respirons.

Bien fixé
Le crampon s'accroche au fond de l'océan et, comme le reste de la plante, absorbe l'eau et les sels minéraux de la mer.

Les plantes à spores

Les fougères, les mousses et les hépatiques se reproduisent grâce à des spores, minuscules cellules spécialisées capables de se développer en un organisme. Ces végétaux très primitifs se reproduisent de façon moins efficace que les plantes à graines. Mousses et hépatiques ont les algues pour ancêtres. Elles n'ont pas de véritable racine, de tige ni d'appareil conducteur, et forment des tapis à croissance lente sur les terrains humides : l'absorption de l'eau se fait directement au contact des cellules. Les 25 000 espèces de mousses et d'hépatiques répertoriées ont peu évolué et n'ont pas de descendants. Les fougères, les lycopodes et les prêles se sont mieux adaptés à la vie terrestre. Ces végétaux peuvent devenir assez hauts et profiter de la lumière car ils développent des racines, des tiges et des vaisseaux distributeurs d'eau et de substances minérales. Il y a des millions d'années, les ancêtres géants de ces plantes dominaient le monde. De nos jours, les plantes à graines sont majoritaires.

S'échapper
Lorsque les sporanges s'ouvrent, les spores se disséminent.
Spores asexuées
Les spores n'ont pas de cellules sexuelles et se trouvent dans des sporanges fixés sur la partie intérieure des frondes.
TROIS GÉNÉRATIONS
Les fougères ont un cycle de reproduction particulier. La première génération produit des spores asexuées, la seconde, des cellules sexuées ou gamètes, qui donneront naissance à une troisième génération de producteurs de spores.
Gamètes
La spore donne naissance à une petite lame verte en forme de cœur appelée gamétophyte car elle possède à la fois des cellules mâles et femelles (gamètes).
Vers une nouvelle fougère
La cellule mâle nage vers la cellule femelle et s'unit à elle. De cette fécondation naît une nouvelle plante qui, à son tour, produira des spores.

MULTIPLES FOUGÈRES
La fougère corne-de-cerf (en haut) pousse sur les arbres mais n'est pas une plante parasite. Le polypode (en-dessous) se reproduit rapidement à partir de la ramification de ses rhizomes. Les fougères arborescentes (page de droite) peuvent atteindre la hauteur d'un palmier.

EN FORME DE CÔNE
Les lycopodes appartiennent à la famille des fougères et non des mousses. Ils ont des feuilles spéciales en forme de cônes, poussant en spirales minces, qui protègent les sporanges.

CHEZ LES MOUSSES
La fine tige surmontée d'une capsule qui contient les spores reste attachée à la plante mère jusqu'à maturité. Ensuite, l'opercule tombe, la capsule s'ouvre et laisse échapper les minuscules spores.

Retenir l'Eau

Les mousses et les hépatiques ont besoin d'eau pour vivre et se reproduire, mais elles n'ont ni racines pour retenir l'eau, ni xylème pour la distribuer dans toute la plante. Ces végétaux doivent fonctionner autrement. La *Frullania*, une hépathique qui pousse sur les arbres dans un environnement sec, possède de petites « gourdes » qui emmagasinent l'eau et la laissent couler goutte à goutte sur le tronc de l'arbre vers les autres parties de la plante.

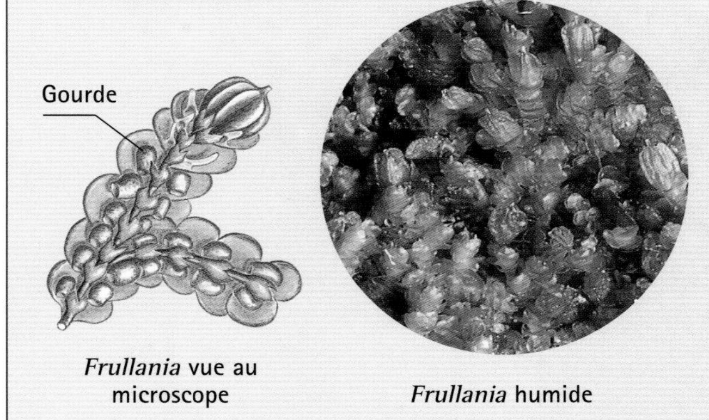

Frullania vue au microscope

Frullania humide

QUE D'EAU !
Les sphaignes peuvent absorber plus de vingt fois leur propre poids en eau. Elles poussent en coussins moelleux dans les eaux acides abritant peu de bactéries, si bien qu'elles sont parfois utilisées comme pansement de fortune. Séchées et en partie décomposées, les sphaignes se transforment en tourbe, un combustible domestique utilisé dans certains pays.

SURVIVANTS
La tige creuse de la prêle et ses rameaux verts disposés en collerettes assurent la photosynthèse afin de produire la nourriture de la plante. Ses feuilles, formées d'écailles brun foncé étroitement serrées sur la tige, ne produisent pas de nourriture. Groupées en cônes, les spores de la prêle se trouvent à l'extrémité de pousses spécialisées.

Pourquoi les fougères et les mousses ne sont-elles plus aussi répandues que dans le passé ?

Les conifères et leurs cousins

Les plantes à graines sont apparues 50 millions d'années après les premières plantes terrestres. De nos jours, les conifères constituent le groupe le plus important de porteurs de cônes : pins, épicéas, sapins, cyprès et leurs parents éloignés. La plupart ont des cônes mâles et femelles durs, ligneux, quelques espèces possédant des cônes charnus. Les feuilles résistantes des conifères ressemblent à des aiguilles vertes ou à des écailles étroitement imbriquées autour du rameau. Ces arbres sont dits à feuillage persistant car la plupart ne perdent pas toutes leurs feuilles en une seule fois. Dans les forêts au climat frais et tempéré, les conifères atteignent rapidement une hauteur considérable. Leur bois est tendre et facile à travailler, aussi sont-ils plantés dans les forêts cultivées pour l'exploitation du bois.

Gingko
Les arbres femelles du ginkgo, ou arbre aux quarante écus, ont des ovules charnus et malodorants et des feuilles en forme d'éventail.

If
Les aiguilles de l'if sont plates et étroites. L'arbre femelle porte des baies (ou « arilles ») rouge vif qui contiennent les graines.

Pin sylvestre
Les aiguilles vert bleuté du pin sylvestre sont attachées deux par deux. Ses cônes sont ovoïdes.

Cyprès de l'Arizona
Ses feuilles vert sombre en forme d'écailles sont étroitement imbriquées sur chaque rameau. Il porte des cônes assez petits, de forme arrondie.

Cycas
Les cycas ont les plus grands cônes du monde, qui poussent dans une couronne de frondes pointues.

« Plum pine »
Les cônes de ces arbres ressemblent à des baies, avec une graine charnue.

DEUX CÔNES
Les cônes mâles et femelles poussent soit sur le même arbre, soit sur des arbres différents. Le pollen servant à féconder la cellule femelle se trouve à l'intérieur de chaque écaille du cône mâle, plus petit.

ORIGINALITÉ
Le mélèze est l'un des rares conifères dont les aiguilles, vertes au printemps et en été, jaunissent à l'automne et tombent en hiver.

LE CYCLE DES CONIFÈRES
Les conifères n'ont pas besoin d'eau pour se reproduire : c'est le vent qui transporte le pollen depuis les cônes mâles jusqu'aux ovules contenus dans les cônes femelles.

Un grand vent de poussière jaune
Au printemps, le cône mâle du pin libère des milliards de grains de pollen. Quelques jours plus tard, sa tâche achevée, il se détache de l'arbre.

Un cône visqueux
Le pollen se pose sur un cône femelle visqueux. Un tube pollinique se développe et, un an plus tard, chaque grain de pollen féconde un ovule.

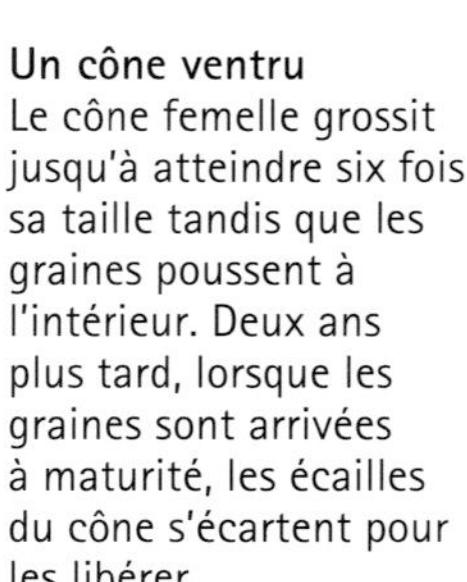

Un cône ventru
Le cône femelle grossit jusqu'à atteindre six fois sa taille tandis que les graines poussent à l'intérieur. Deux ans plus tard, lorsque les graines sont arrivées à maturité, les écailles du cône s'écartent pour les libérer.

Disperser les graines
Chaque graine possède une ailette et une enveloppe résistante qui contient de la nourriture, pour la germination.

Germer
Si la graine tombe à un endroit suffisamment chaud, humide, et lumineux, elle peut germer et donner naissance à un petit conifère.

À l'Intérieur d'un Tronc d'Arbre

La partie extérieure de l'écorce est constituée de cellules mortes, mais la partie interne est spongieuse et vivante. De nouvelles cellules s'y développent. C'est la raison pour laquelle un tronc s'enrichit chaque année d'une nouvelle couche de bois. Les cernes – un pour chaque année de croissance – révèlent l'âge de l'arbre. Le V qu'ils forment indique le point de départ des branches.

LES SÉQUOIAS GÉANTS

Les séquoias de Californie (*Sequoia sempervirens*) sont les arbres les plus hauts du monde. Le séquoia géant (*Sequoiadendron giganteum*) est légèrement moins haut, mais c'est l'arbre le plus gros et le plus lourd du monde.

Les fleurs

Les plantes à fleurs sont les plantes les plus récentes et les plus répandues du règne végétal. On estime qu'il y a plus de 250 000 espèces de plantes à fleurs : fleurs cultivées ou sauvages, légumes, herbacées, arbres et arbustes (à fruits et non à cônes), plantes grimpantes et rampantes et quelques plantes aquatiques. Grosses ou petites, belles ou quelconques, les fleurs servent avant tout à la reproduction des plantes. La couleur et le parfum de certaines d'entre elles attirent les oiseaux et les insectes, qui se nourrissent surtout de nectar, le liquide sucré qu'elles sécrètent, et de pollen. Ils volent ensuite de fleur en fleur et transportent le pollen mâle jusqu'au stigmate femelle. Les herbacées et les autres plantes aux fleurs moins visibles ou moins attirantes s'en remettent au vent pour transporter le pollen. Elles en produisent beaucoup car le vent le disperse et ne le dépose pas directement sur chaque fleur. Le pollen a ainsi plus de chance de tomber sur un stigmate femelle.

TEMPÊTE DE POLLEN
Les herbacées ont des petites fleurs sans odeur disposées en épillets à l'extrémité de la tige. En été, le vent disperse des millions de grains de pollen. Le pollen peut provoquer le rhume des foins, mais sans lui, nous n'aurions aucune céréale : blé, avoine, orge, riz ou maïs.

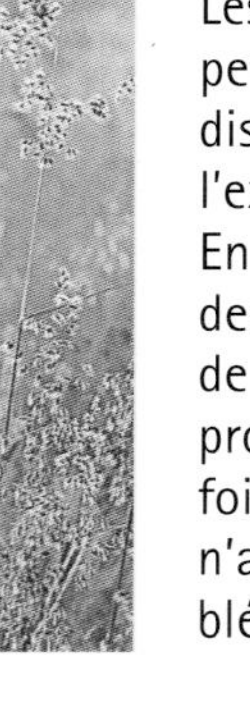

PARTENAIRES PARFAITS
Certains oiseaux sont attirés par les fleurs rouges. Avec sa petite tête et son petit bec, l'oiseau-mouche peut chercher le nectar dans la fleur de l'oiseau de Paradis. Tandis qu'il se nourrit, le pollen s'accroche à ses plumes.

REGARDEZ-MOI !
Les insectes sont attirés par la taille, la forme, le parfum et la couleur de certaines fleurs. Ces mêmes éléments attirent également les jardiniers et les botanistes qui essaient d'améliorer la nature. Ainsi certaines des fleurs de ce bouquet sont des hybrides, obtenues de façon naturelle ou artificielle par pollinisation croisée.

Nouveaux Gènes

Un plant de courge (ci-dessous), possède à la fois des fleurs mâles et femelles. Les fleurs mâles produisent du pollen, et les fleurs femelles fabriquent les graines. Une fleur mâle peut féconder une fleur femelle sœur : c'est l'autopollinisation. La nouvelle plante ressemble beaucoup à la plante mère, mais elle ne survit pas aussi facilement aux modifications du milieu qu'une plante dont les gènes proviennent de deux parents différents. Pour éviter l'autopollinisation, les fleurs mâles et femelles d'une même plante arrivent souvent à maturité à des moments différents.

LA CHASSE AU NECTAR
De nombreux arbres, surtout ceux de l'hémisphère Sud, portent des fleurs aux couleurs vives. Les insectes trouvent facilement le chemin du nectar, dans la corolle d'une fleur de l'arbre de Judée. Ils s'y frottent contre les étamines et emportent des grains de pollen.

Incroyable mais Vrai

L'*Amorphophallus titanum* atteint 3,7 m de haut dans les forêts tropicales humides d'Indonésie. Ses fleurs s'ouvrent pendant quelques jours et dégagent une odeur de poisson avarié et de caramel dont les mouches raffolent. Attirées par les fleurs, elles y déposent leurs œufs.

Pour en savoir plus, rendez-vous à la page 12 : *La reproduction*.

La vie des plantes à fleurs

De nombreuses plantes à fleurs sont des plantes annuelles. Elles germent à partir d'une graine au printemps, fleurissent et fructifient en été, puis se flétrissent et meurent en automne. Mais les graines qu'elles ont laissées, après le repos hivernal, germent dès l'arrivée du printemps suivant. D'autres plantes à fleurs, dont de nombreux arbres, continuent à vivre et à pousser au-delà d'une année. On les appelle des plantes vivaces. Sous les climats tempérés, où se succèdent quatre saisons bien distinctes, elles se reposent et cessent de pousser pendant le froid de l'automne et de l'hiver. Les arbres perdent leurs feuilles, tandis que certaines plantes, comme la patate douce (en haut à gauche), survivent grâce à la nourriture emmagasinée dans des bulbes ou des tubercules enfouis dans la terre. Les plantes des régions tropicales de mousson, où il n'y a ni automne ni hiver, poussent et se reproduisent pendant la période humide et se reposent pendant la période sèche.

UNE BRÈVE FLORAISON
Pendant les quelques semaines du bref été arctique, le soleil ne se couche jamais. Beaucoup de lumière, un peu de chaleur et l'eau du dégel permettent à quelques plantes de fleurir rapidement et de disperser leurs graines avant le retour de la froide nuit polaire.

QUATRE SAISONS
Le cycle annuel du platane comporte quatre étapes très différentes. Cet arbre imposant pousse même sur les avenues de nos villes, et il est assez robuste pour résister à la pollution.

Printemps
Les fleurs mâles, de couleur jaune, et femelles, de couleur rouge, pendent séparément sur le même arbre. Après avoir été fécondée, la fleur femelle commence à se transformer en fruit.

Été
En été, les petits bouquets de fruits verts grossissent et protègent les graines, situées à l'intérieur.

Saisons Humides et Saisons Sèches

Les régions tempérées ont quatre saisons par an. Les régions des moussons tropicales n'en ont que deux : la saison humide et la saison sèche. Pour les plantes qui poussent dans ces régions, la saison humide est celle de la croissance, de la floraison et de la dispersion des graines, phénomènes qui ont lieu au printemps et en été sous nos climats. Au cours de la saison sèche, les plantes vivent au ralenti et certaines perdent même leurs feuilles afin de réduire l'évaporation de l'eau. Ces baobabs d'Australie se sont adaptés pour survivre pendant les mois où l'eau est rare et les incendies fréquents.

RÉSERVES DE NOURRITURE
Le bulbe de la jonquille sert de réserve nutritive à la plante pendant la période de repos. Comme l'oignon, le bulbe est formé d'une série de cercles concentriques, qui constituent les bases charnues des feuilles de la saison précédente. Au printemps, de nouvelles tiges et de nouvelles feuilles apparaissent.

TOUJOURS VERT
Les nouvelles feuilles des plantes à feuillage persistant poussent avant que ne tombent les anciennes. En hiver, les feuilles et les baies rouges du houx arborent de belles couleurs vives.

Automne
Tandis que les feuilles commencent à changer de couleur, les fruits hérissés de pointes passent du vert au brun. Ils sont dispersés par le vent.

Hiver
Les feuilles et leur tige se détachent des branches. À l'extrémité des rameaux dénudés, les bourgeons gluants protègent les jeunes feuilles qui sortiront au printemps suivant.

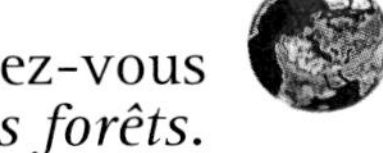

Pour en savoir plus, rendez-vous à la page 32 : *Les forêts.*

Les parasites

Les champignons n'appartiennent pas réellement au règne végétal, mais forment un groupe à part entière. On en compte plus de 70 000, dont les champignons à chapeau, les moisissures, le mildiou et la rouille des plantes. Tous sont dépourvus de véritables feuilles, de tige, de racines et de chlorophylle. Ils sont donc incapables de fabriquer leur propre nourriture et puisent les substances dont ils ont besoin sur d'autres organismes, plantes ou animaux, vivants ou morts grâce à un réseau de filaments microscopiques, les hyphes. Les champignons n'ont pas besoin de lumière pour produire de la nourriture et poussent souvent dans l'obscurité. Parfois, seul leur corps charnu apparaît à la surface du sol. Arrivé à maturité, le champignon libère des spores, que le vent emporte au loin par milliards.

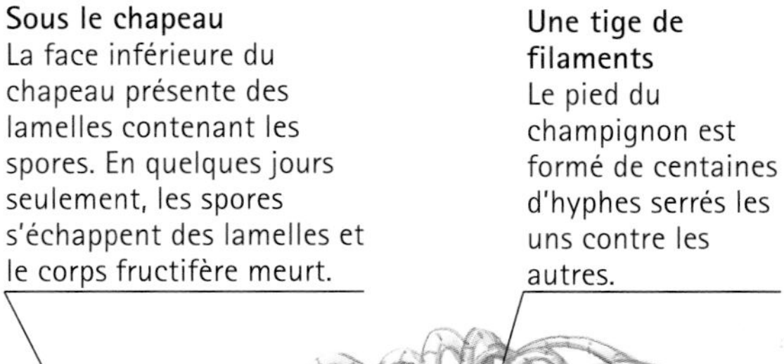

PARASITE DANGEREUX
La rouille est une maladie provoquée par un champigno parasite. Celui-ci se développ sur certaines plantes comme blé et s'attaque aux feuilles, produisent des sucres, mettai en péril la formation de l'épi.

UN NUAGE DE SPORES
La vesse-de-loup produit des spores à l'intérieur de la partie creuse du champignon, en forme de boule. Lorsque son enveloppe durcit, le moindre choc la fait vibrer, et un nuage de spores s'échappe dans l'air.

ATTENTION, DANGER !
Les champignons à chapeau ont un corps charnu. Certains sont comestibles, d'autres toxiques ou même mortels. Il est difficile de reconnaître les champignons vénéneux, qui ont parfois un aspect plus attirant que ceux dont la consommation ne présente aucun danger.

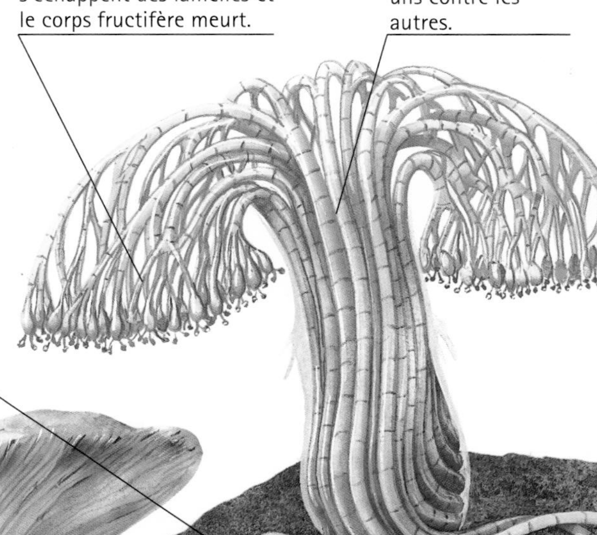

Sous le chapeau
La face inférieure du chapeau présente des lamelles contenant les spores. En quelques jours seulement, les spores s'échappent des lamelles et le corps fructifère meurt.

Une tige de filaments
Le pied du champignon est formé de centaines d'hyphes serrés les uns contre les autres.

Un réseau de filaments
Les longs filaments de l'hyphe absorbent les fragments de végétaux en décomposition dans le sol. Plus ils se nourrissent, et plus ils se ramifient.

Pleurote corne d'abondance

Pézizes

Polypores

Hygrophore

Incroyable mais Vrai

Dans l'obscurité, ce champignon, qui pousse dans le sous-bois des forêts tropicales humides, émet une lueur verte. On pense que c'est un moyen pour le champignon d'attirer les mouches nécessaires à la dispersion des spores.

LES ENVAHISSEURS

Les parasites sont des champignons qui poussent et se nourrissent aux dépens d'un végétal ou d'un animal vivant. Ce champignon a investi le corps d'une araignée dont il se nourrit peu à peu.

Une Étonnante Moisissure

Si vous oubliez un morceau de pain, une pomme ou une orange dans votre cartable pendant plusieurs jours, un champignon microscopique – une moisissure – appelé pénicillium se formera à leur surface. Bien entendu, il ne faut pas manger ce pain ou ce fruit. Pourtant, le pénicillium sauve des millions de vies chaque année. La pénicilline, un antibiotique tiré du *Penicillium notatum*, (cultivé en laboratoire), permet de combattre de nombreuses maladies bactériennes.

UN « NEZ » PRÉCIEUX

L'une des denrées les plus rares et les plus onéreuses au monde est un champignon. Le corps fructifère de la truffe pousse sous la terre, et son odeur attire les animaux à l'odorat développé comme le cochon.

Survivre

Les êtres vivants ne peuvent vivre et grandir sans eau, sans minéraux et sans nourriture. Ils doivent également pouvoir se défendre. Contrairement aux animaux et aux hommes, les plantes ne peuvent se déplacer pour se procurer ce dont elles ont besoin, et sont incapables de fuir devant le danger. Elles se sont donc adaptées à leur milieu en développant des structures particulières ou des moyens originaux pour survivre. Certaines ont des racines spéciales ou des filaments qui leur permettent de se procurer l'eau dont elles ont besoin ailleurs que dans le sol. Les racines des plantes parasites leur permettent de tirer la totalité – ou la plus grande partie – de leur nourriture et de l'eau chez une autre plante. Les plantes carnivores ont également des feuilles ou des filaments particuliers pour capturer les insectes, source de minéraux supplémentaires. De nombreuses plantes sont munies d'épines, de piquants ou sécrètent des poisons destinés à les protéger des insectes, des oiseaux et autres prédateurs.

LA PLUS GRANDE FLEUR DU MONDE
La rafflésie, une plante tropicale parasite, passe la plus grande partie de sa vie dans les racines d'une liane de la forêt tropicale humide. Pendant une courte période, elle fleurit et sa fleur attire les mouches qui assurent sa pollinisation. Puis elle meurt.

PRÈS DE LA LUMIÈRE
Les orchidées tropicales peuvent germer et passer toute leur vie sur les branches des arbres. Elles produisent leur propre nourriture et absorbent l'eau de l'air humide grâce à des racines aériennes.

LE SAVIEZ-VOUS ?

La belladone produit un poison appelé atropine. À l'époque de la Renaissance, les dames se mettaient des gouttes d'atropine dans les yeux afin de dilater leur pupille et d'approfondir leur regard. Le nom de la plante, vient de l'italien *bella donna*, qui signifie « belle dame ». Cette substance est encore utilisée en ophtalmologie.

Pièges Vivants

Les feuilles, les fleurs, la sève, l'enveloppe du fruit ou de la graine de certaines plantes contiennent un produit toxique, comme les fleurs du bouton d'or, les graines de ricin ou la sève de certaines cannes. Les noix de cajou crues renferment une substance qui irrite la bouche. Il arrive souvent qu'une partie de la plante soit toxique pour décourager les prédateurs, tandis que d'autres parties ne présentent aucun danger, afin d'attirer des pollinisateurs potentiels.

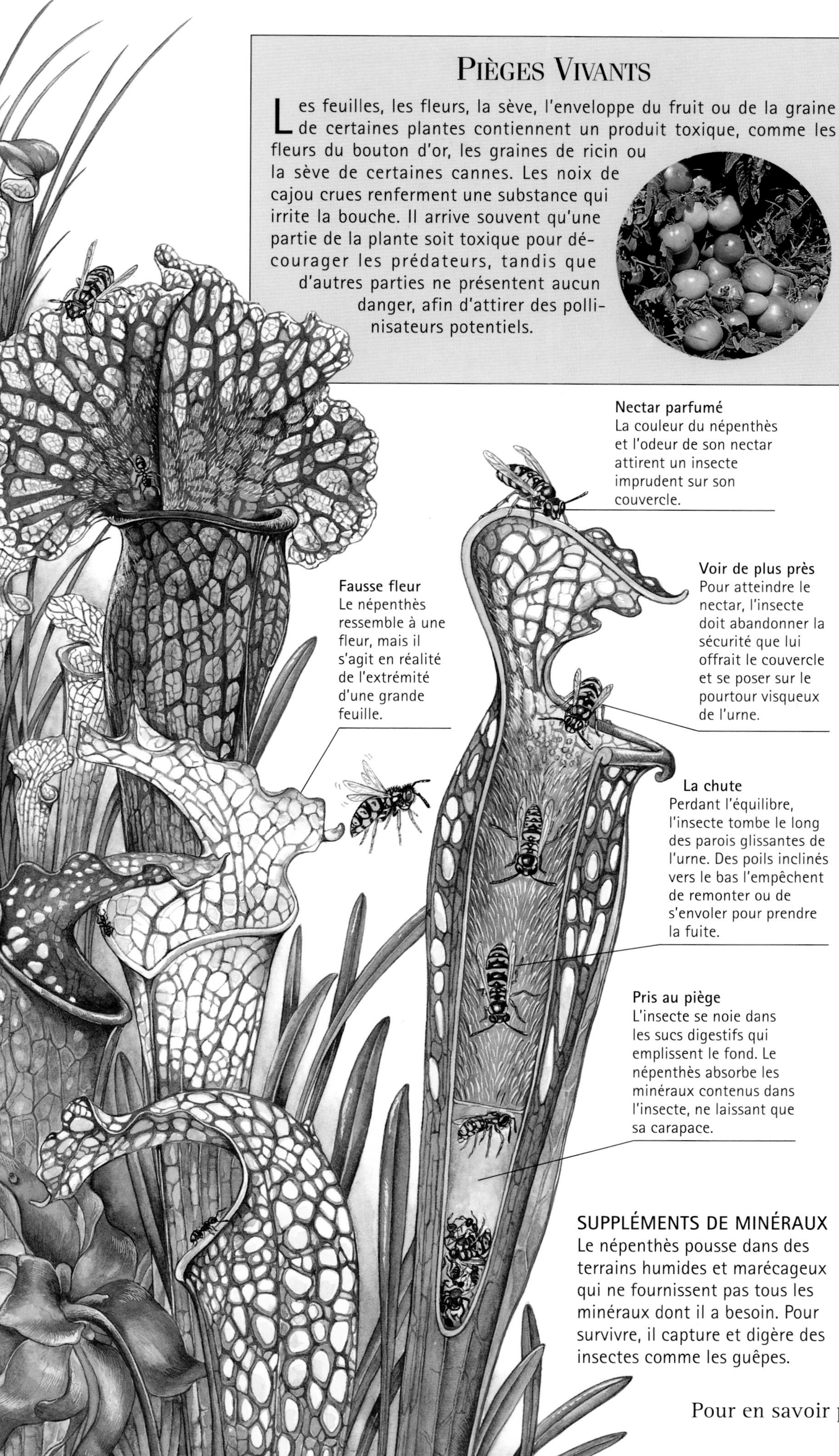

Nectar parfumé
La couleur du népenthès et l'odeur de son nectar attirent un insecte imprudent sur son couvercle.
Fausse fleur
Le népenthès ressemble à une fleur, mais il s'agit en réalité de l'extrémité d'une grande feuille.
Voir de plus près
Pour atteindre le nectar, l'insecte doit abandonner la sécurité que lui offrait le couvercle et se poser sur le pourtour visqueux de l'urne.
La chute
Perdant l'équilibre, l'insecte tombe le long des parois glissantes de l'urne. Des poils inclinés vers le bas l'empêchent de remonter ou de s'envoler pour prendre la fuite.
Pris au piège
L'insecte se noie dans les sucs digestifs qui emplissent le fond. Le népenthès absorbe les minéraux contenus dans l'insecte, ne laissant que sa carapace.

SUPPLÉMENTS DE MINÉRAUX

Le népenthès pousse dans des terrains humides et marécageux qui ne fournissent pas tous les minéraux dont il a besoin. Pour survivre, il capture et digère des insectes comme les guêpes.

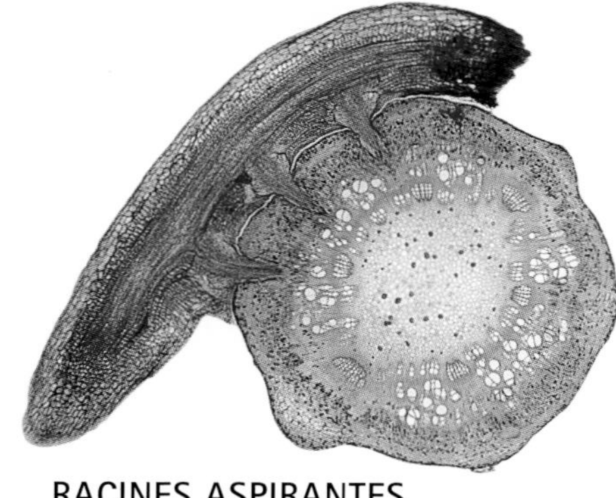

RACINES ASPIRANTES

Les plantes parasites sont munies de racines spéciales qui s'agrippent sur les racines ou la tige de la plante hôte, les transpercent et y prélèvent directement du sucre, de l'eau et des sels minéraux.

BARBELÉS

Les roses ont une tige hérissée d'épines destinées à piquer les animaux qui s'en approchent trop. La douleur les engage à prendre la fuite.

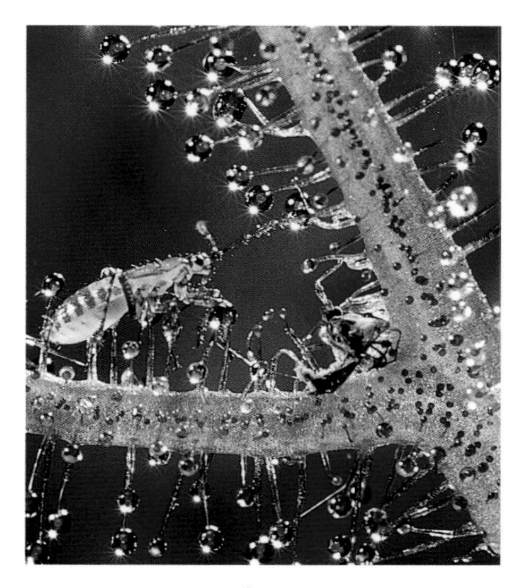

AU PIÈGE DE LA DROSERA

Les poils qui recouvrent les feuilles de la drosera sécrètent un suc digestif collant sur lequel les insectes viennent s'engluer, le prenant pour de l'eau.

Pour en savoir plus, rendez-vous à la page 14 :
Vers une nouvelle plante.

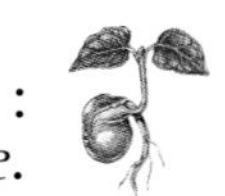

AUTOMNE FLAMBOYANT
En automne, le vert des arbres à feuillage persistant et les nuances orangées des arbres à feuillage caduc se mêlent en une merveilleuse symphonie.

FLEURS DE PRINTEMPS
Au début du printemps, avant l'apparition des nouvelles feuilles, les arbres laissent passer beaucoup de lumière, ce qui favorise la croissance des fleurs.

Les forêts

Le climat et la nature du sol ont une influence sur les espèces d'arbres qui poussent dans une forêt, de même que les arbres déterminent ce qui pousse sous leur ombrage. Sous les latitudes nordiques, les conifères à feuillage persistant poussent dans les forêts boréales. Mais le sol de ces forêts sombres n'accueille que peu de plantes. Dans les régions tempérées du globe, le sol des forêts d'arbres à feuilles caduques se couvre de fleurs au printemps, et les arbres perdent leurs feuilles en hiver. Les forêts mixtes, composées de différentes espèces de conifères et d'arbres à fleurs, se répartissent dans différentes parties du monde. Dans les forêts tropicales humides, la croissance des arbres s'étale sur presque toute l'année, mais dans les forêts tropicales de mousson, avec une saison humide et une saison sèche, les arbres et les plantes poussent surtout pendant la saison humide. Le sol des forêts d'eucalyptus d'Australie est couvert de végétaux variés.

FORÊTS IDENTIQUES
Les régions de même latitude tendent à avoir des climats identiques. C'est pourquoi on trouve généralement le même type de forêts réparti sur de nombreux pays sur un axe est-ouest.

Forêts boréales : parties nordiques de l'Amérique du Nord, de l'Europe et de la Russie.
Forêts d'arbres à feuilles caduques : est des États-Unis, majeure partie de l'Europe, est de la Chine et du Japon.
Forêts mixtes : ouest des États-Unis, ouest du Chili et certaines régions de l'Argentine et de la Nouvelle-Zélande.
Forêts tropicales humides : Amérique du Sud, Afrique centrale, Asie du Sud-Est et Australie du Nord-Est.
Forêts tropicales des moussons : Amérique du Sud, Inde, Australie du Nord et certaines régions de l'Asie du Sud-Est et de l'Afrique du Sud-Est
Forêts d'eucalyptus : Australie.

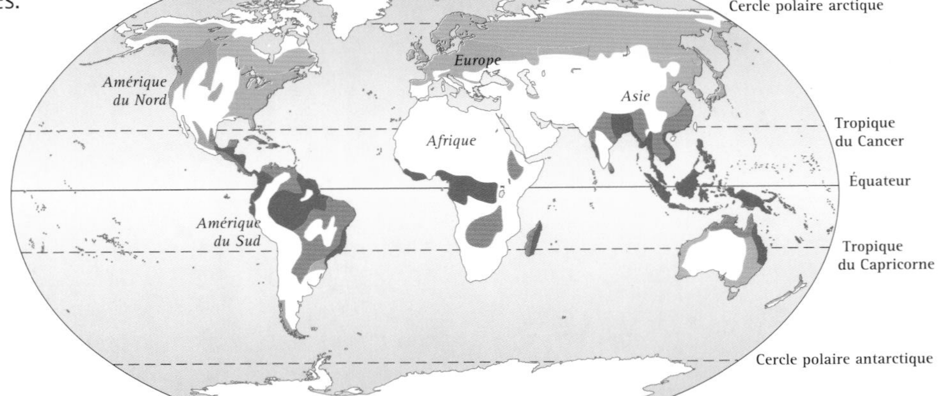

Le sol de la forêt tropicale

Le sol de la forêt tropicale humide est frais, humide et sombre. Les rares plantes qui y poussent se sont adaptées à l'absence de lumière. En général, elles ont de très grandes feuilles pour capter le peu de lumière existant. Elles poussent lentement et peuvent fleurir, souvent de façon éclatante, malgré le manque de lumière solaire. On trouve surtout de jeunes plants d'arbres géants, ou baliveaux. Lorsqu'un arbre s'écroule, la trouée laisse passer de la lumière et la compétition entre les baliveaux commence. Le sol des forêts tropicales humides est pauvre en substances nutritives. Il est couvert d'une couche d'animaux morts et de matières végétales. Mais ces substances sont rapidement absorbées par les racines des plantes.

PARFAITE HARMONIE
La passiflore, une plante grimpante de la forêt tropicale humide, produit un poison destiné à détourner les insectes dévoreurs de feuilles. Mais ce papillon est immunisé contre ce poison et peut donc pondre sur la plante. Il agit également comme pollinisateur.

Le Saviez-Vous ?

Les feuilles et autres fragments de végétaux qui jonchent le sol des forêts tropicales humides sont essentiellement digérés par des champignons et des millions de bactéries microscopiques. Sans eux, le sol serait enseveli sous les déchets végétaux.

SE PROTÉGER DU FROID
Grâce à leurs feuilles en forme d'aiguille et à la surface cireuse, les conifères peuvent supporter le froid et la neige. Les conifères à feuilles persistantes ne laissent filtrer que peu de lumière. Sur le sol de la forêt ne poussent que des arbrisseaux, des mousses et des lichens.

NOUVELLE VIE
Un incendie de forêt brûle les feuilles des grands arbres et les broussailles. Des graines en attente ont alors suffisamment de lumière et d'espace pour germer dans un sol enrichi par les éléments nutritifs contenus dans la cendre.

Forêts d'Eucalyptus

Le continent australien a dérivé et s'est détaché du reste du continent il y a plus de 100 millions d'années. Contrairement à ce qui s'est passé dans les autres parties du monde, il n'y a pas eu de compétition entre les espèces, et des animaux et des plantes insolites ont pu y prospérer. Cinq cents espèces d'eucalyptus, appelés aussi gommiers, peuplent les forêts des régions tempérées et tropicales de l'Australie. Comme les conifères, ces arbres ont un feuillage persistant mais leurs feuilles pendantes laissent passer la lumière.

Pour en savoir plus, rendez-vous à la page 54 : *L'industrie*.

Forêts tropicales

La forêt tropicale humide accueille une variété de plantes et d'animaux plus riche que partout ailleurs. Dans ces jungles brumeuses, l'air est toujours chaud et humide et les pluies sont violentes. Les feuilles ont souvent l'extrémité recourbée vers le bas afin de favoriser l'écoulement de l'excès d'eau, qui pourrait « noyer » les cellules et les stomates. Le feuillage des arbres géants forme une sorte de toit, ou canopée, de verdure. Certains atteignent la hauteur d'un immeuble de vingt étages. Pour obtenir de la lumière, de nombreuses plantes, appelées épiphytes, poussent sur le tronc ou les branches des grands arbres. Épiphytes et lianes aux tiges ligneuses utilisent les arbres géants comme des échafaudages sur lesquels ils s'enroulent pour atteindre la lumière. D'autres plantes enfin, germent en haut des arbres, se développent vers le bas et s'enracinent dans le sol.

LE FIGUIER ÉTRANGLEUR
Cet épiphyte pousse à partir d'une graine déposée par un oiseau en haut d'un grand arbre. Bientôt naissent des racines qui finissent par atteindre le sol et enserrent le tronc. Comme l'arbre ne peut plus se développer, il meurt et se décompose.

Corset de bois du figuier étrangleur

UNE CANOPÉE EN ÉVOLUTION
Lorsque les arbres qui forment la voûte sont endommagés ou meurent, ils cèdent la place aux « arbres du futur », des baliveaux ou des arbres en cours de croissance.

VUE DE LA CANOPÉE
Voici ce que voient les nombreux animaux qui vivent dans la forêt tropicale humide. Les plantes de la canopée absorbent l'humidité contenue dans l'atmosphère et dans l'eau de pluie, de même que les éléments nutritifs que renferment les débris en suspension dans l'air. Elles utilisent la lumière pour la photosynthèse. Les animaux se nourrissent de nectar, de fruits, de graines et de feuilles.

MORT OU VIVANT ?

Ce tronc paraît mort. Or, il abrite une intense activité : il est couvert de mousses, de jeunes plantes et de fougères. Des animaux le percent et se nourrissent du bois et de l'écorce, ainsi que des graines et des feuilles qui parsèment les alentours. Des champignons et des bactéries décomposent et recyclent le phosphore, l'azote et autres substances nutritives. Ce tronc sera bientôt complètement détruit, mais de nouvelles plantes le remplaceront.

Décomposeurs
Des hyphes provenant de divers champignons poussent rapidement en un réseau serré. Ils décomposent les cellules mortes de l'écorce et les absorbent.

Repérer la mite
Difficile à repérer dans la litière, ce papillon s'est développé à partir d'une chenille très répandue dans la forêt tropicale humide, où elle dévore les feuilles.

Plantules
Tout orifice ménagé dans la voûte fournit à quelques jeunes arbres la lumière dont ils ont besoin pour pousser.

INGRÉDIENTS RECYCLÉS

Très étanches, les feuilles d'une broméliacée sont munies de pointes recourbées qui leur permettent de recueillir jusqu'à 10 l d'eau. Un grand nombre d'insectes, de reptiles, d'oiseaux et d'animaux sont attirés par l'eau, et laissent des déjections dans la plante. Ajoutées aux feuilles et à la poussière en suspension dans l'air, ces déjections composent une « soupe » riche que la broméliacée absorbe et utilise pour fabriquer sa nourriture.

Intérieur des galeries

ÉCHANGES
La tige de l'hydrophytum comporte des galeries où s'installent des fourmis. Elles y déposent des insectes morts et produisent des déjections, qui fournissent à la plante des éléments nutritifs.

LES FRUITS DE LA FORÊT
Les animaux avalent les fruits entiers et rejettent les graines dans leurs excréments, ou consomment la pulpe et recrachent les graines.

Pour en savoir plus, rendez-vous à la page 10 : *De l'air, de l'eau.*

Racines peu Profondes

Contrairement aux forêts tempérées, le sol des forêts tropicales humides est pauvre en substances nutritives, les arbres ont donc des racines creuses, peu profondes. Elles retiennent l'eau de la surface, des feuilles et d'autres déchets qui, en se décomposant, libèrent des éléments nutritifs rapidement absorbés par les racines. Certains arbres géants de la forêt tropicale humide développent à la base de leur tronc des racines à contreforts, qui remplacent les racines superficielles. Elles stabilisent le tronc et peuvent atteindre 10 m de haut.

Fourmis broyeuses
À leur retour à la fourmilière, ces fourmis mâchent les feuilles pour obtenir du compost sur lequel pousse un champignon dont elles se nourrissent.

LA LUMIÈRE PRISE AU PIÈGE

Les jeunes arbres ont des feuilles plus rares mais plus grandes afin d'absorber la faible quantité de lumière qui parvient jusqu'à eux.

Pour en savoir plus, rendez-vous à la page 28 : *Les parasites*.

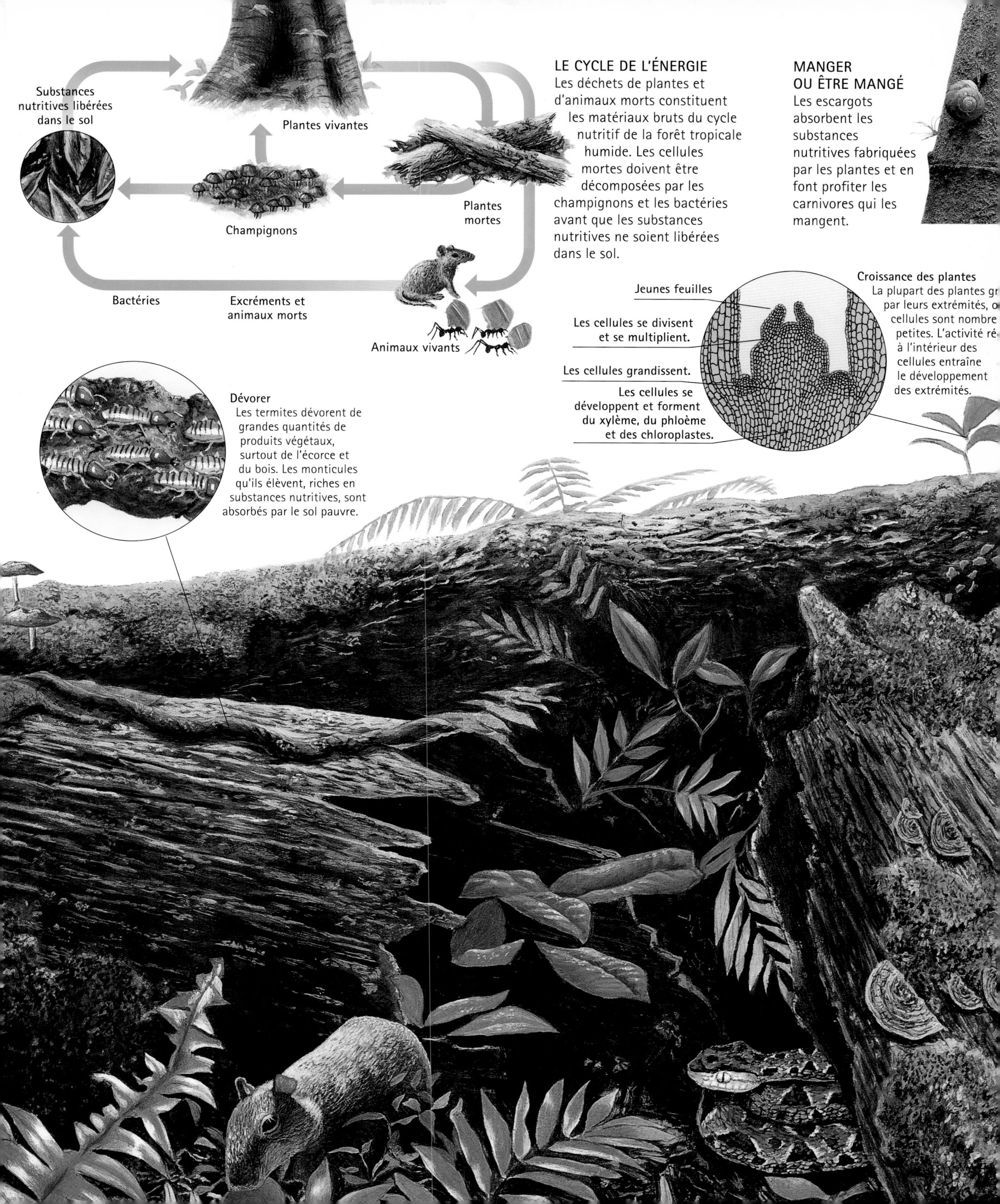

LE CYCLE DE L'ÉNERGIE

Les déchets de plantes et d'animaux morts constituent les matériaux bruts du cycle nutritif de la forêt tropicale humide. Les cellules mortes doivent être décomposées par les champignons et les bactéries avant que les substances nutritives ne soient libérées dans le sol.

MANGER OU ÊTRE MANGÉ

Les escargots absorbent les substances nutritives fabriquées par les plantes et en font profiter les carnivores qui les mangent.

Croissance des plantes
La plupart des plantes gr par leurs extrémités, o cellules sont nombre petites. L'activité ré à l'intérieur des cellules entraîne le développement des extrémités.

Dévorer
Les termites dévorent de grandes quantités de produits végétaux, surtout de l'écorce et du bois. Les monticules qu'ils élèvent, riches en substances nutritives, sont absorbés par le sol pauvre.

Dans le désert

L'absence d'eau et les fortes chaleurs de la journée sont les principaux problèmes que doivent affronter les plantes du désert. Les racines de la plupart d'entre elles s'enfoncent profondément dans le sol ou s'étendent largement à la recherche de la moindre goutte d'eau. Parfois, il ne pleut pas pendant des années, et il est vital d'emmagasiner cette eau si précieuse. Les plantes conservent l'eau dans des racines tubéreuses, des feuilles charnues (les succulentes) ou des tiges munies de crêtes qui peuvent se développer. Mais il y a toujours déperdition d'eau, surtout à travers les feuilles et les autres parties vertes de la plante. Certaines plantes n'ont pas de feuilles ou les remplacent par des épines. D'autres sont cireuses, et leurs stomates sont enfouis dans des trous et non à la surface des feuilles. Les succulentes ont un système de photosynthèse particulier qui peut fonctionner sans que les stomates s'ouvrent pendant les périodes de sécheresse. Mais certaines plantes évitent tous ces problèmes en passant la plus grande partie de leur vie à l'état de graine, et en accomplissant leur très bref cycle de vie dès la première pluie.

UN ÉCLAT BRILLANT
Dans le désert, des annuelles poussent, fleurissent, fructifient et dispersent leurs graines en quelques semaines seulement, après une pluie. Leurs graines ont souvent un revêtement chimique qui empêche leur germination, parfois pendant plusieurs années, et que seule une bonne averse peut ôter. Le désert fleurit alors, comme par magie.

SOUS LE SOLEIL DE MIDI
La haute tige verte du saguaro, un cactus géant, fabrique les éléments nutritifs nécessaires à la plante. Ses stomates sont fermés afin d'éviter toute perte d'eau. Le saguaro abrite des picverts tandis que le figuier de Barbarie procure de l'eau à un écureuil.

Des épines pour réfléchir le soleil
Les épines en houppe du chollas réfléchissent et éparpillent les rayons ardents du soleil.

VIVRE AU RALENTI
Le saguaro pousse très lentement. Les premières branches apparaissent assez haut sur la tige, lorsque la plante est « entre deux âges », vers 75 ans.

Des feuilles qui n'en finissent pas

Le curieux welwitschia, un parent éloigné des conifères, pousse dans l'aride désert de Namibie, dans le sud-ouest africain. Il ne porte que deux longues feuilles tordues, partant du coussinet plat de la tige, qui poussent sans cesse pendant la très longue vie de la plante. Ainsi, un welwitschia de 2 000 ans peut avoir des feuilles de 8 m de long. Ces feuilles captent la rosée du matin et le brouillard, et les acheminent ensuite vers la grosse racine pivotante de la plante.

TROUVER DE L'EAU
Le prosopis (ci-dessus à gauche) enfonce ses racines profondément dans le sol pour atteindre la nappe phréatique. Le cactus (ci-dessus à droite) développe les siennes à l'horizontale, à la recherche de la moindre goutte d'eau restant à la surface.

PIERRES VIVANTES
Les deux feuilles rondes et gonflées de la plante-galet, semblables aux cailloux du sol, restent dissimulées aux yeux des animaux en quête de nourriture. La majeure partie de la plante est souterraine, à l'abri du soleil violent.

DANS LA FRAÎCHEUR DE LA NUIT
Au coucher du soleil, les stomates des cactus s'ouvrent pour libérer les gaz produits par leur système de photosynthèse particulier. Cette chauve-souris volant de fleur en fleur est le principal pollinisateur du saguaro.

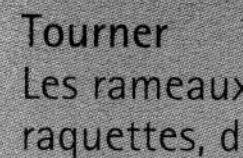

Tourner
Les rameaux charnus, ou raquettes, du figuier de Barbarie font face au soleil en fin d'après-midi et tôt le matin. Lorsque le soleil est haut, ils se tournent de côté pour éviter sa chaleur intense.

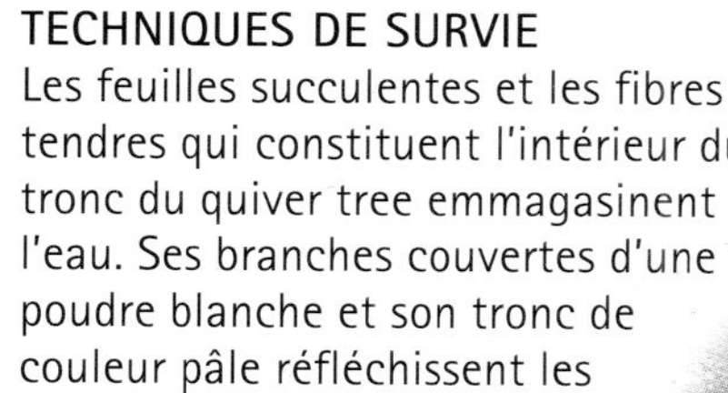

TECHNIQUES DE SURVIE
Les feuilles succulentes et les fibres tendres qui constituent l'intérieur du tronc du quiver tree emmagasinent l'eau. Ses branches couvertes d'une poudre blanche et son tronc de couleur pâle réfléchissent les rayons du soleil et le protègent de la chaleur excessive.

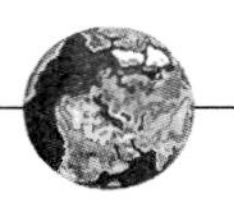

La savane

La savane s'étend dans des régions qui reçoivent davantage de précipitations que les déserts, mais pas autant que les forêts. Elle est parfois parsemée de rares arbres, mais c'est le domaine des herbacées. Plus résistants que les arbres, ces végétaux perdent moins d'eau sous l'effet des vents desséchants que ceux de taille supérieure. Les racines horizontales de certaines herbacées protègent les zones humides contre l'érosion. La savane est composée d'une grande variété d'herbacées vivaces et annuelles, certaines poussant en touffes, d'autres en tapis (comme du gazon). On y trouve des plantes qui atteignent à peine la hauteur du genou, et de très hautes, comme la canne à sucre. Les herbacées sont des plantes à fleurs à reproduction sexuée. La plupart peuvent également se reproduire grâce à des tiges horizontales, poussant à la surface – des stolons –, ou sous la terre – des rhizomes.

UN RÉGIME VÉGÉTARIEN
Le grand kangourou d'Australie est le plus grand des marsupiaux. Il se nourrit de variétés d'herbacées que les moutons et le bétail ne mangent pas. Mais en période de sécheresse, tous ces animaux entrent en compétition pour se procurer de la nourriture.

LA SAVANE AFRICAINE
Les feuilles des herbacées continuent à pousser même si leurs extrémités ont été broutées, car les cellules de croissance sont situées à la base des plantes et non à l'extrémité.

Une Maison d'Herbe

Les grands animaux de la savane n'ont rien pour se cacher. Ils doivent donc se fier à leur rapidité pour fuir le danger. Mais pour de nombreux oiseaux, la savane constitue un refuge sûr qui offre une grande variété de matériaux de construction. Le tisserin républicain bâtit un nid complexe avec des brins d'herbe, à même le sol ou sur l'un des rares arbres qui pousse dans ce milieu hostile (ci-dessus). Un arbre peut ainsi recevoir jusqu'à 400 nids.

Le Saviez-Vous ?

Une éléphante qui vient de mettre bas ingurgite 200 kg d'herbe, de feuilles et de fruits par jour. Pour se procurer sa ration, elle déracine des arbres.

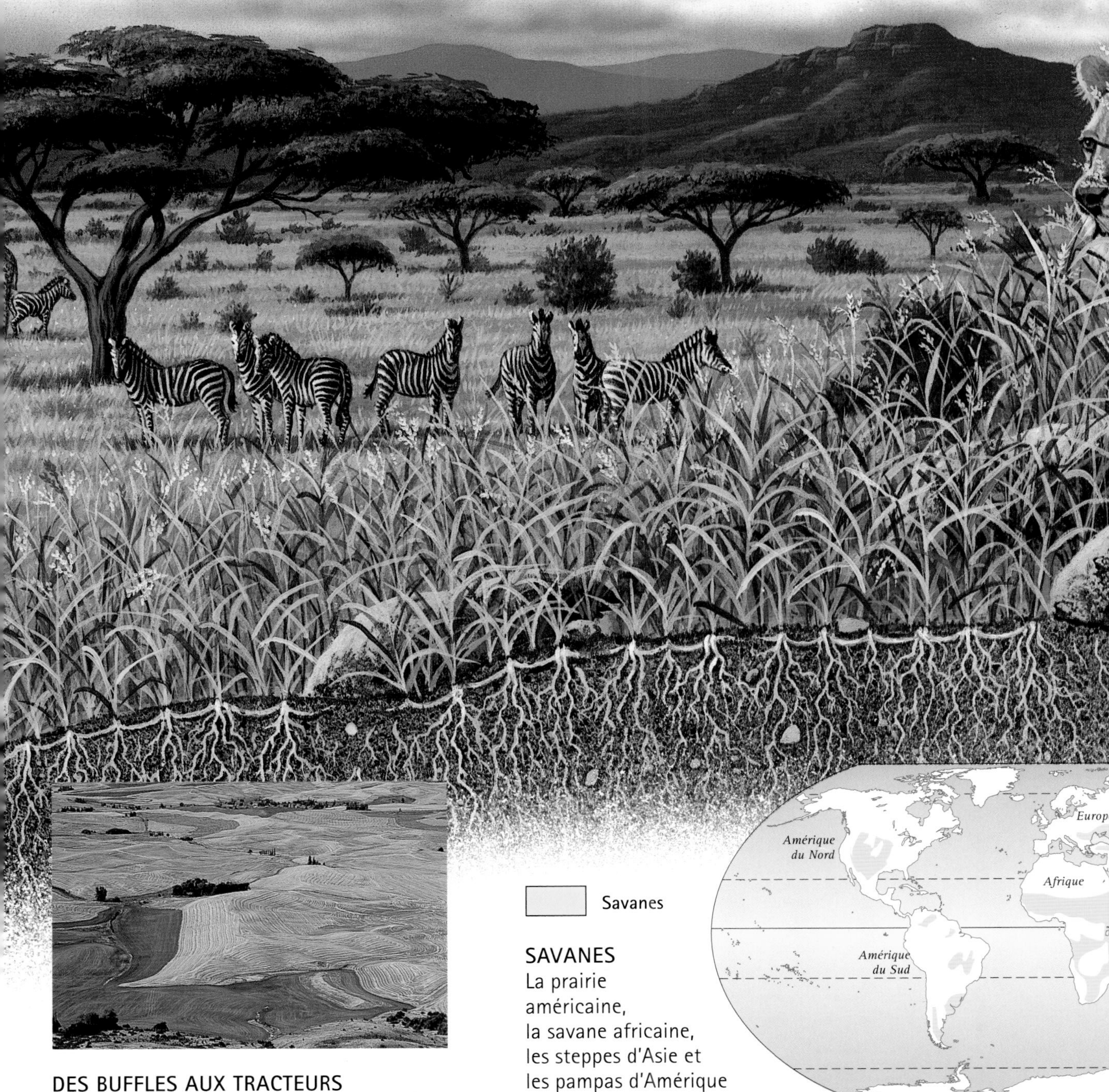

DES BUFFLES AUX TRACTEURS
En Amérique du Nord, une partie de la savane où paissaient autrefois les buffles a fait place à la culture du blé.

Savanes

Amérique du Nord
Europe
Asie
Afrique
Amérique du Sud
Australie

SAVANES
La prairie américaine, la savane africaine, les steppes d'Asie et les pampas d'Amérique du Sud sont de vastes étendues de savane.

Pour en savoir plus, rendez-vous à la page 24 : *Les fleurs*.

UNE FLEUR ALPINE
L'edelweiss pousse dans les fissures des rochers. Ses feuilles vernissées réduisent l'évaporation de l'eau et les poils qui les recouvrent conservent la chaleur du soleil et la protègent du gel. L'edelweiss a une floraison brève ; ses grandes fleurs attirent les insectes pollinisateurs.

Conditions extrêmes

Les plantes ont du mal à vivre sous le froid rigoureux, les vents violents et les faibles précipitations des régions polaires et des hautes montagnes. Dans l'Antarctique, seule une espèce d'herbacée, des lichens, des mousses et des algues peuvent survivre. Au fur et à mesure que l'on s'élève en altitude ou que l'on s'approche du pôle Nord, la température descend, les étendues de conifères cèdent la place à des touffes d'arbustes nains. Les plantes de petite taille qui poussent au-dessus de cette ligne ont une période de croissance brève. Comme les pluies sont peu abondantes, pour réduire la déperdition d'eau, de nombreuses espèces ont des feuilles vernissées, d'autres ont des tiges et des feuilles garnies de poils. Ces poils les protègent également des effets néfastes des rayons X, plus intenses en altitude. Certaines plantes ont même une sève spéciale qui joue le rôle d'antigel.

DÉGEL
Dans la toundra arctique, le sol est gelé en permanence. Lorsque la neige et la glace fondent, l'eau ne peut s'infiltrer dans le sol toujours gelé : elle forme des marécages dans lesquels poussent quelques plantes.

Incroyable mais Vrai

La forme et la couleur blanche de la renoncule des glaciers réfléchissent et concentrent les rayons du soleil dans le centre de la fleur. Cette petite zone de chaleur attire les insectes pollinisateurs. Après la pollinisation, la fleur s'assombrit pour se protéger des rayons ultraviolets.

GÉANT DES ANDES

Le puya, une herbacée géante à tige ligneuse, vit plus de 150 ans. La rosette épineuse qui entoure la tige de la plante conserve la chaleur durant les nuits froides des hautes montagnes.

D'étranges Solitaires

Entre les derniers grands arbres droits et les plantes à faible croissance qui poussent au-delà de la limite des arbres, survivent quelques arbustes nains, rabougris, auxquels les vents violents ont donné d'étranges formes tourmentées. Parfois leurs branches ne poussent que du côté opposé aux vents glacés et à la neige. Certaines espèces sont rampantes et n'atteignent que quelques centimètres de haut, mais leur longueur peut égaler la hauteur des arbustes de la même famille, de taille moyenne, poussant en plaine.

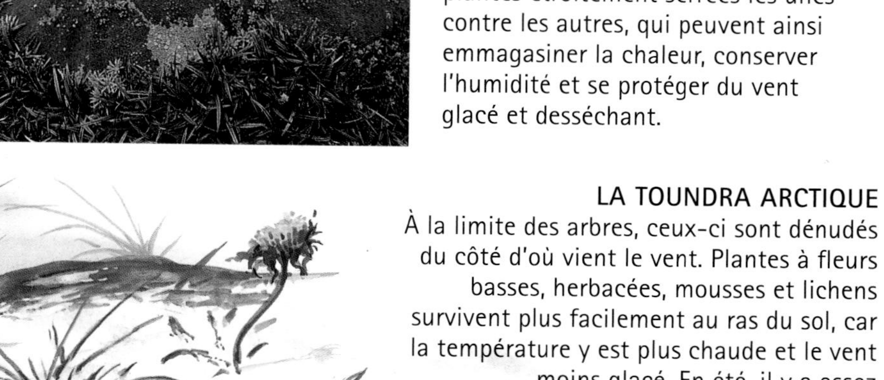

ÉTROITEMENT SERRÉES

Cette plante formant des coussinets serrés pousse dans les montagnes de Tasmanie, en Australie. Elle est en fait constituée de plusieurs plantes étroitement serrées les unes contre les autres, qui peuvent ainsi emmagasiner la chaleur, conserver l'humidité et se protéger du vent glacé et desséchant.

LA TOUNDRA ARCTIQUE

À la limite des arbres, ceux-ci sont dénudés du côté d'où vient le vent. Plantes à fleurs basses, herbacées, mousses et lichens survivent plus facilement au ras du sol, car la température y est plus chaude et le vent moins glacé. En été, il y a assez d'eau et de chaleur pour permettre une courte période de croissance.

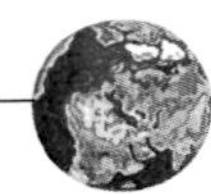

Les bords de mer

Les zones côtières ont des aspects variables, et les plantes qui y poussent sont tout aussi diverses. Sur une plage de sable, aucune plante ne pousse sur le sable humide, entre le niveau le plus haut et le plus bas des marées. Les vagues les déracineraient aussitôt. Cependant, sur les rochers découverts entre la marée haute et la marée basse, on aperçoit des algues. En se tournant face à la terre, on distingue des herbes constituant « la ligne de front » des plantes terrestres. Leurs longues tiges souterraines les ancrent solidement dans le sol et leur croissance en touffes leur permet de résister au vent. Derrière ces herbes s'élèvent des dunes stabilisées par les racines des plantes résistant au sel et au vent. Au-delà de ces plantes à croissance lente, des arbres poussent dans le sol sablonneux. Dans les estuaires, là où la terre et le fleuve rencontrent la mer, il n'y a pas de plage nettement définie. C'est la zone des mangroves propres aux pays tropicaux, ou celle des marais d'eau salée de nos régions tempérées.

SURVIVRE MALGRÉ TOUT
Les plates-formes rocheuses exposées à l'air accueillent des lichens, plantes à croissance très lente. Ils survivent dans des conditions difficiles, résistant à la force des vagues.

LE FLEUVE RENCONTRE LA MER
Les herbes et les arbustes fixent les sédiments déposés par le fleuve à son estuaire. De nombreuses plantes des marais d'eau salée ont des feuilles succulentes qui emmagasinent l'eau douce.

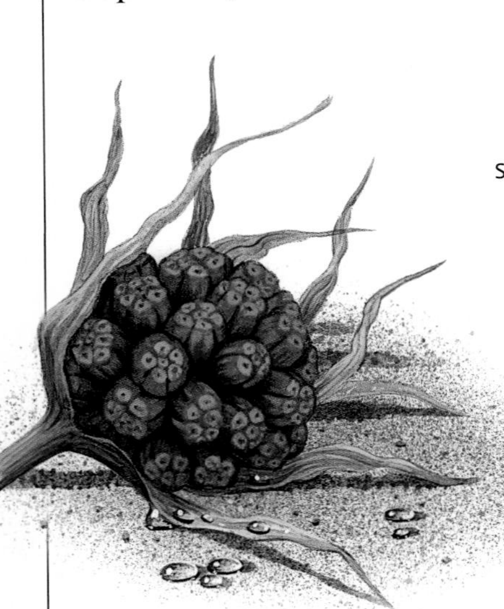

ET VOGUE LE FRUIT !
La mer et le vent transportent le fruit léger du pandanus vers les îles ou les terres côtières, très loin de la plante mère.

FIXER LE SABLE
Sur cette plage d'Australie, des plantes résistant au sel aident à stabiliser le sable. Les plantes les plus proches de la mer le retiennent tandis que le feuillage des grands arbres réduit la force du vent.

Fixer les dunes
Les animaux mangent les fruits du **pigface costal,** une plante rampante dont les tiges poussent au ras du sable ou sont parfois souterraines.

Zone de projection de l'eau

Au-dessus de la mer
Des algues bleu-vert, presque noires, s'agrippent aux rochers battus par les vagues.

Zone intertidale

Entre la marée haute et la marée basse
Sur les rochers immergés à marée haute, mais exposés à l'air à marée basse, poussent des goémons de couleur brune qui ressemblent à des rubans et des algues vert vif.

Zone subtidale

Sous la mer
C'est le domaine des algues rouges ou des énormes varechs bruns. Immergés pendant la plus grande partie de leur existence, ils ne sont exposés à l'air que si la marée est très basse.

ZONES DE COULEUR
Sur le littoral rocheux, la marée basse découvre différents types d'algues de couleur, qui ont chacune une préférence particulière pour une zone de la mer. Dans les flaques, au creux des rochers, est rassemblé le plus grand nombre d'espèces vivant en un même endroit.

Du Sable Nu à la Forêt

Transportées par le vent ou les oiseaux, les graines d'herbacées germent dans le sable vierge d'une île de corail. Leurs racines fixent le sable, permettant à des plantes à croissance lente et à un anneau d'arbrisseaux de pousser à l'arrière, loin de la mer. À l'intérieur de cette zone protégée, des arbres prennent racine, et ce qui n'était autrefois que du sable nu devient une forêt verte. Mais si les vagues balayent l'île ou si les animaux écrasent les plantes, celles-ci auront du mal à se développer.

Une haute voûte
La voûte des banksias détourne les vents marins et en atténue la violence.

Dunes élevées
L'acacia pousse au ras du sol, formant une barrière contre le vent et le sable.

Près de la mer
Le spinifex, ou herbe porc-épic, retient le sable avec beaucoup d'efficacité. La tête femelle portant les fruits roule sur ses épines et disperse ses graines au fur et à mesure.

EAU SALÉE

Les palétuviers luttent contre les forts degrés de salinité grâce à des cellules spéciales de leurs feuilles qui évacuent l'excès de sel. Ils repoussent également le sel vers les feuilles mortes, avant qu'elles ne se détachent.

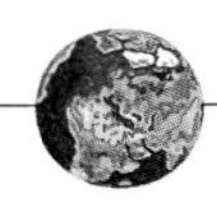

Dans les eaux douces

L'eau courante des torrents et des rivières, ou les eaux stagnantes des mares et des lacs, abritent une flore très diversifiée. Les végétaux vivent à des profondeurs différentes, tant que la lumière nécessaire à la photosynthèse peut les atteindre. Certaines plantes d'eau douce flottent librement à la surface, et possèdent des racines fines comme des cheveux qui n'ancrent pas la plante mais absorbent les substances nutritives de l'eau. D'autres poussent sous l'eau. Les plantes qui flottent à la dérive et les plantes immergées ont généralement des tiges flexibles et vertes. Entre leurs cellules sont ménagés des espaces emplis d'eau et de gaz, qui leur permettent de se maintenir dressées vers la lumière aussi bien qu'avec des tiges rigides. Les plantes qui émergent ont des tiges rigides qui les maintiennent en partie hors de l'eau, tandis que leurs racines restent sous l'eau. Beaucoup de plantes aquatiques fleurissent et ont une reproduction sexuée. Certaines ont des fleurs discrètes et dépendent du vent ou de l'eau pour la pollinisation.

UN ENVAHISSEUR FLOTTANT
Originaire d'Amérique centrale, la jacinthe d'eau est transportée par le vent et l'eau et se propage rapidement, au point de devenir souvent une plante nuisible. Elle peut chasser les autres plantes et coloniser toute une rivière.

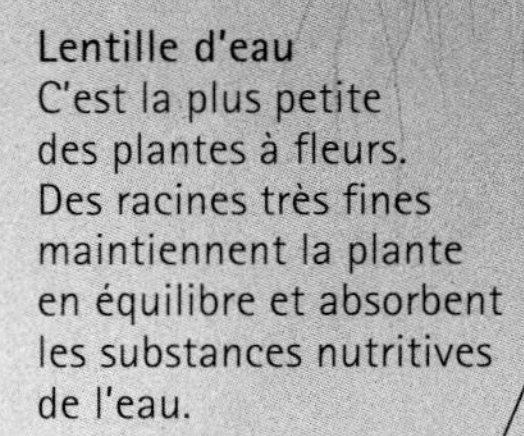

Lentille d'eau
C'est la plus petite des plantes à fleurs. Des racines très fines maintiennent la plante en équilibre et absorbent les substances nutritives de l'eau.

Nymphée
Il est impossible de voir la fleur de la nymphée car cette plante aquatique fleurit sous l'eau. En revanche, on aperçoit les bulles d'oxygène qui remontent à la surface au cours de la photosynthèse.

CHAÎNE ALIMENTAIRE
Des végétaux microscopiques – le phytoplancton – (à gauche) servent de nourriture à des petits crustacés et à des insectes – le zooplancton. Les déchets du poisson qui mange le zooplancton apportent à leur tour des substances nutritives aux autres plantes.

S'ACCROCHER
Cette plante tropicale survit dans les eaux vives en s'accrochant aux rochers grâce à des crampons robustes. Ses fines feuilles ne vivent que quelques semaines, et ce sont leurs bases courtes et épaisses qui assurent ensuite la photosynthèse de la plante.

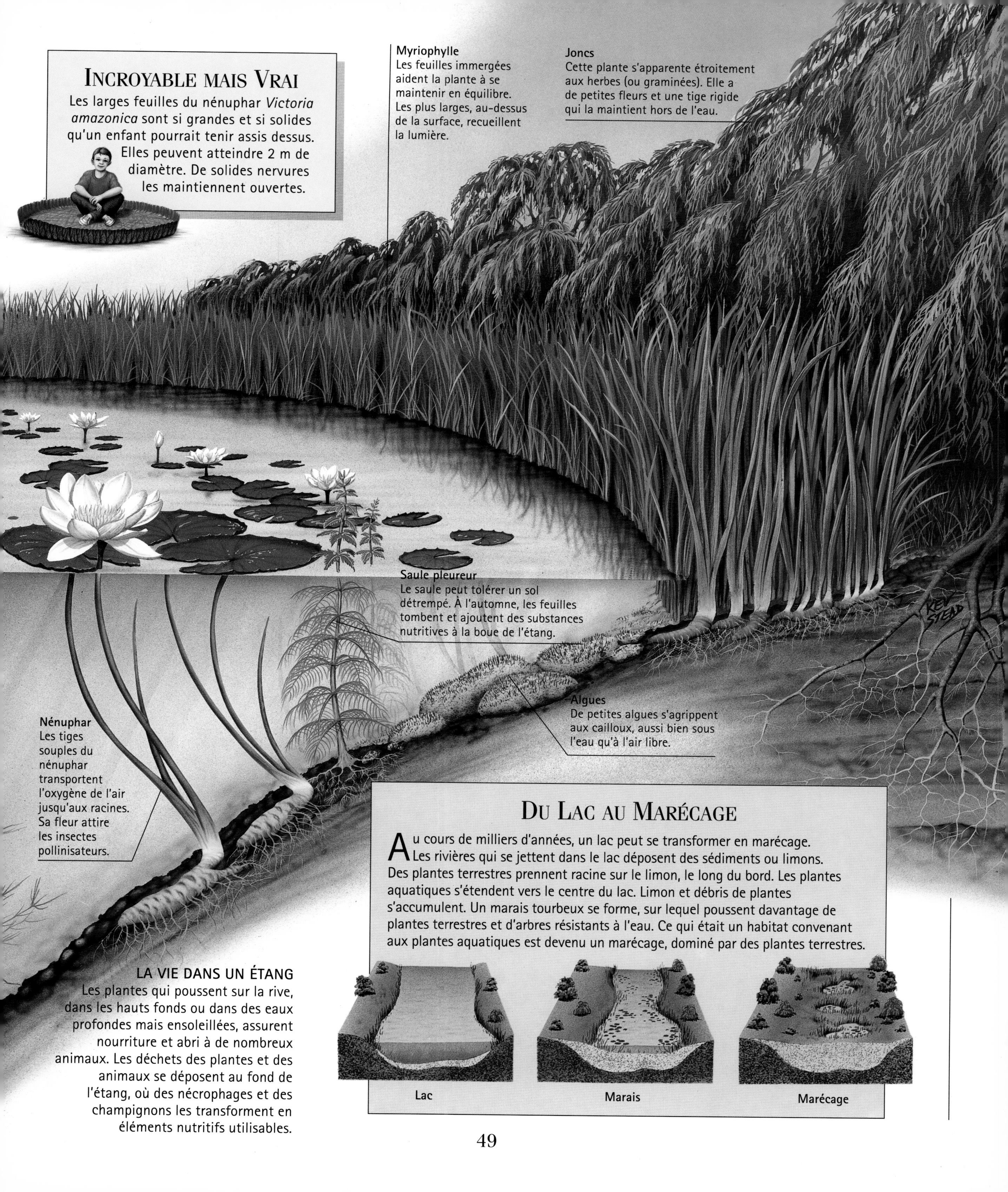

Myriophylle
Les feuilles immergées aident la plante à se maintenir en équilibre. Les plus larges, au-dessus de la surface, recueillent la lumière.
Joncs
Cette plante s'apparente étroitement aux herbes (ou graminées). Elle a de petites fleurs et une tige rigide qui la maintient hors de l'eau.
Saule pleureur
Le saule peut tolérer un sol détrempé. À l'automne, les feuilles tombent et ajoutent des substances nutritives à la boue de l'étang.
Algues
De petites algues s'agrippent aux cailloux, aussi bien sous l'eau qu'à l'air libre.
Nénuphar
Les tiges souples du nénuphar transportent l'oxygène de l'air jusqu'aux racines. Sa fleur attire les insectes pollinisateurs.
Lac
Marais
Marécage

INCROYABLE MAIS VRAI

Les larges feuilles du nénuphar *Victoria amazonica* sont si grandes et si solides qu'un enfant pourrait tenir assis dessus. Elles peuvent atteindre 2 m de diamètre. De solides nervures les maintiennent ouvertes.

DU LAC AU MARÉCAGE

Au cours de milliers d'années, un lac peut se transformer en marécage. Les rivières qui se jettent dans le lac déposent des sédiments ou limons. Des plantes terrestres prennent racine sur le limon, le long du bord. Les plantes aquatiques s'étendent vers le centre du lac. Limon et débris de plantes s'accumulent. Un marais tourbeux se forme, sur lequel poussent davantage de plantes terrestres et d'arbres résistants à l'eau. Ce qui était un habitat convenant aux plantes aquatiques est devenu un marécage, dominé par des plantes terrestres.

LA VIE DANS UN ÉTANG

Les plantes qui poussent sur la rive, dans les hauts fonds ou dans des eaux profondes mais ensoleillées, assurent nourriture et abri à de nombreux animaux. Les déchets des plantes et des animaux se déposent au fond de l'étang, où des nécrophages et des champignons les transforment en éléments nutritifs utilisables.

RÉCOLTES DE CÉRÉALES
Sur un cinquième des terres cultivées du monde, des exploitations agricoles entièrement mécanisées produisent 539 millions de tonnes de blé par an. La majeure partie de la production est utilisée pour notre propre consommation, un cinquième assurant la nourriture des animaux.

CANNE À SUCRE
Plus de la moitié de la production mondiale de sucre est fournie par la canne à sucre, cultivée dans les régions tropicales. Lorsque les pousses atteignent l'âge adulte, elles sont coupées. Les nouvelles pousses de la tige sont récoltées l'année suivante.

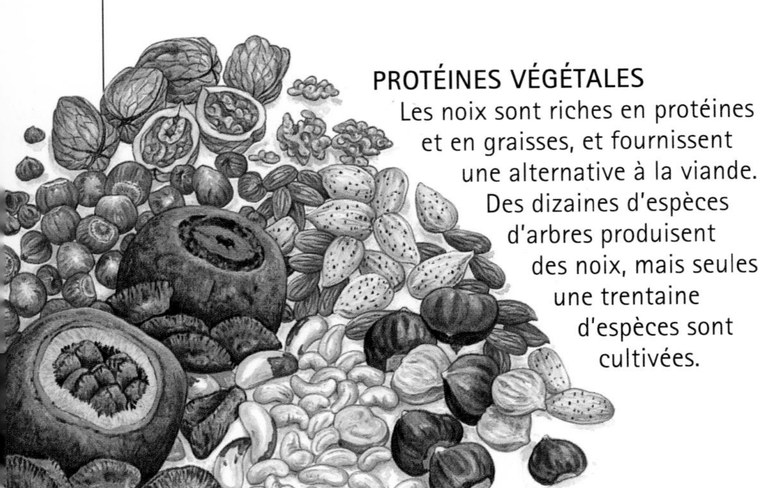

PROTÉINES VÉGÉTALES
Les noix sont riches en protéines et en graisses, et fournissent une alternative à la viande. Des dizaines d'espèces d'arbres produisent des noix, mais seules une trentaine d'espèces sont cultivées.

Les plantes nourricières

Les premiers hommes se déplaçaient sans cesse, cueillant des plantes sauvages et chassant pour se nourrir. Ils découvrirent ensuite qu'en élevant des animaux, et en cultivant des plantes, ils pouvaient se fixer. Ils ne cultivaient que des fruits, des légumes, des herbacées ou des céréales poussant à l'état naturel dans un périmètre qu'ils pouvaient parcourir à pied. Au Moyen-Orient, on moissonnait le blé sauvage et l'orge, tandis que le riz était cultivé en Chine et le maïs sauvage en Amérique centrale et en Amérique du Sud. Au XVIe siècle, le commerce se développa et les plantes alimentaires commencèrent à transiter d'une partie du monde à l'autre. De nos jours, on trouve dans n'importe quel pays des céréales, des fruits, des légumes et des noix dont les ancêtres poussaient à l'état sauvage à l'autre bout du monde.

FEUILLES DE THÉ
Lorsque le thé, cultivé à l'origine en Chine, a été introduit dans le reste du monde, il était considéré comme une boisson exotique et à la mode. C'est aujourd'hui une boisson courante. Seules les extrémités des jeunes feuilles sont cueillies, puis mises à fermenter avant d'être séchées et écrasées.

RIZIÈRES EN TERRASSE
En Chine et dans le sud-est asiatique, depuis plus de 5 000 ans, on cultive le riz dans des rizières en terrasses. Pour plus de la moitié de la population mondiale, le riz est la céréale la plus consommée.

NOURRITURE À L'ÉTAT SAUVAGE
La plupart des aliments que nous consommons sont cultivés dans des exploitations agricoles, mais les plantes nourricières poussent toujours à l'état sauvage, comme à l'âge de la pierre.

Fruits et Légumes

Les vrais fruits du fraisier sont les petits grains de la fraise.

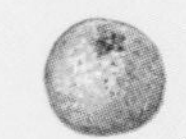
L'orange est le fruit d'un arbre à feuilles persistantes.

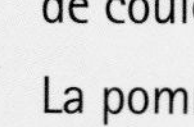
La carotte est une racine pivotante de couleur orange.

La pomme de terre est la partie souterraine de la tige (rhizome) qui développe des tubercules.

La tomate est un fruit originaire d'Amérique.

L'oignon est un bulbe qui emmagasine les sucres de la plante.

La citrouille est un fruit dont les graines sont comestibles.

Le gingembre est une racine souterraine ou rhizome.

La laitue est constituée de feuilles enveloppées les unes sur les autres.

L'asperge est une tige portant des feuilles minuscules, ou bractées.

Pour en savoir plus, rendez-vous à la page 6 : *Introduction*.

REMÈDE ANCIEN
La science a désormais prouvé l'efficacité de certaines plantes utilisées par les Anciens. Ainsi, l'ail peut soigner bronchite et refroidissement, et diminuer le taux de cholestérol et la tension artérielle.

Les plantes médicinales

Les plantes sont connues pour leur vertus curatives depuis la nuit des temps. En procédant par tâtonnements, les premiers hommes ont découvert que de nombreuses plantes pouvaient soigner les maladies, cicatriser les blessures ou atténuer la douleur. Parmi les premiers herboristes figuraient des pionniers de la médecine et de la pharmacologie, qui étudièrent les effets de certaines plantes sur leurs patients. Ils consignèrent leurs découvertes dans des livres appelés « herbiers », mettant ainsi leurs connaissances à la portée de tous. L'industrie pharmaceutique s'y réfère toujours pour fabriquer des médicaments à base de plantes ou de substituts synthétiques. De nos jours, l'analyse des plantes médicinales en laboratoire permet d'apporter des réponses scientifiques aux questions que se posaient les herboristes de jadis. Quelle substance chimique la plante contient-elle ? Comment agit-elle sur l'organisme ? Et, le plus important, quel est le dosage précis pour vaincre la maladie sans tuer le patient ?

DOSAGE ADÉQUAT
Au Moyen Âge, les apothicaires – l'équivalent de nos pharmaciens – vendaient des remèdes essentiellement constitués de plantes séchées ou d'herbacées, et non des pilules. Les dosages étaient mesurés très précisément, mais on ne savait pas avec certitude quelles quantités étaient bénéfiques, ou mortelles.

REMÈDES TRADITIONNELS
Dans de nombreuses régions d'Asie, des boutiques vendent des sirops à base de plantes et d'herbes sèches, que le patient mélange à de l'eau avant de les boire. La plupart sont utilisés depuis des siècles.

BATTEMENTS DU CŒUR
Les feuilles de la digitale contiennent de la digitaline, une substance qui régule les battements du cœur et maintient en vie aujourd'hui des milliers de cardiaques. La digitaline n'a pas de substitut synthétique.

Le Saviez-Vous ?

L'usage de l'ipécacuana, qui provient du rhizome et des racines d'une plante du Brésil, est répandu dans tout le pays, des petits villages aux villes modernes. En cas d'absorption accidentelle d'un produit toxique, on utilise le sirop d'ipéca comme vomitif.

La Chimie, un Travail de Détective

Pendant des siècles, on a utilisé les décoctions d'écorce de saule pour faire baisser la température et soulager la douleur et l'inflammation des articulations et des muscles. Au XIXe siècle, une analyse chimique de cette écorce révéla la présence d'une substance particulière, la salicine. Mais elle avait des effets secondaires désagréables, tels les nausées et les bourdonnements d'oreilles. En 1899, un chimiste réalisa la synthèse d'une substance similaire à la salicine, mais avec moins d'effets secondaires. L'aspirine, l'un des analgésiques les plus utilisés de nos jours, était né.

GOMME VÉGÉTALE
Les aborigènes australiens utilisent la gomme rouge, ou kino, du sureau rouge comme pommade. Le kino facilite la cicatrisation des plaies et combat les éruptions cutanées. Mélangé à de l'eau et utilisé en gargarisme, il soigne également les maux de gorge.

SOIGNER PAR LES PLANTES
Ce médecin d'un village asiatique concasse des graines pour obtenir un remède à base de plantes. Cette pratique est courante dans de nombreux pays, en particulier là où médecins et hôpitaux ne sont pas accessibles à tous. Des chimistes étudient leurs propriétés et fabriquent des substituts synthétiques.

COMBATTRE LA DOULEUR
Les capsules du pavot somnifère laissent échapper une substance laiteuse, l'opium, qui contient deux puissants antalgiques, la morphine et la codéine.

GRANDS VOILIERS
Au XVe siècle, les forêts de l'est de l'Europe furent pillées pour la construction des galions en bois durs, comme le chêne. Les forêts détruites furent remplacées par des terres cultivées ou des pâturages.

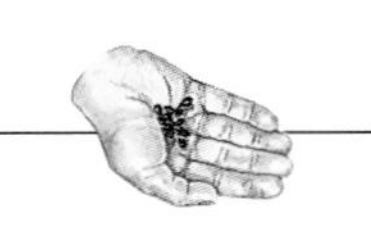

• LES PLANTES ET L'HOMME •

L'industrie

De nombreux objets proviennent de matériaux bruts fournis par les plantes. Cette corde en sisal (ci-dessus) est fabriquée à partir des feuilles d'une grande herbe. Autrefois, on construisait des abris avec des matériaux d'origine végétale. On cueillait des fibres végétales pour les transformer en vêtements. On fabriquait des manches de hache et des arcs en bois, et de la corde avec des brins de chanvre. On ramassait les combustibles, bois, houille et tourbe. La Révolution industrielle modifia les pratiques. Les premières usines, l'accroissement de la population urbaine et le développement des transports augmentèrent la demande en bois, houille, coton, caoutchouc et autres matériaux obtenus à partir des plantes. Leur transformation s'opéra à grande échelle, ce qui donna naissance à de nouvelles industries. De nos jours, les industries qui utilisent des végétaux doivent être administrées avec rigueur pour éviter la disparition des ressources végétales.

BOUCHONS DE LIÈGE
Le liège provient de l'écorce du chêne liège, formée de cellules mortes. Elle se reconstitue et peut être recueillie à nouveau au bout de 8 à 10 ans.

LA CULTURE DE LA FORÊT
Environ un quart des forêts du monde ne sont pas naturelles. Des conifères, dont la croissance est rapide, sont plantés dans des forêts cultivées. Tandis que les arbres d'une section sont abattus, de jeunes plants sont plantés dans d'autres sections, pour assurer le renouvellement constant de la forêt.

Seconde coupe
Au bout de 20 à 30 ans, la plupart des arbres sont coupés.

Plantation
Des jeunes plants sont serrés les uns contre les autres, pour limiter le développement des branches et favoriser celle du tronc.

Débardage
Cette opération consiste à évacuer les troncs, en laissant sur le terrain les branches et les aiguilles.

LA PÂTE À PAPIER

Presque 40 % du bois coupé chaque année est destiné à la fabrication du papier, dans les papeteries. Écorcé et réduit en morceaux, le bois est « cuit » grâce à des produits chimiques, puis séché et pressé en feuilles. Ces feuilles servent à la fabrication du papier et du carton.

PAS DE DÉCHETS

Dans certaines scieries, on utilise des ordinateurs pour déterminer la quantité maximum de bois utilisable. Puis on établit un schéma de coupe et on programme les scies mécaniques destinées à le mettre en œuvre.

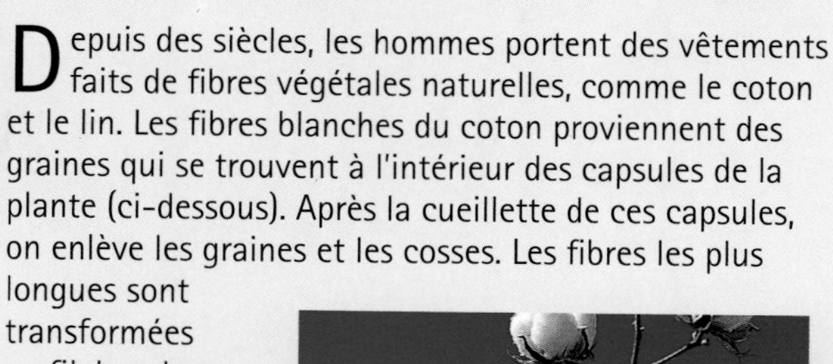

FIBRES VÉGÉTALES NATURELLES

Depuis des siècles, les hommes portent des vêtements faits de fibres végétales naturelles, comme le coton et le lin. Les fibres blanches du coton proviennent des graines qui se trouvent à l'intérieur des capsules de la plante (ci-dessous). Après la cueillette de ces capsules, on enlève les graines et les cosses. Les fibres les plus longues sont transformées en fil, les plus courtes servent à fabriquer de la ouate. Les tiges du lin fournissent des fibres très résistantes. Trempées dans l'eau, elles sont ensuite pressées, séchées et filées.

Préparation du terrain
Une puissante machine agricole a broyé les végétaux restants avant que le sol ne soit labouré.

Première coupe
Au bout de 10 à 15 ans, certains arbres sont coupés pour la fabrication de poteaux ou de pâte à papier.

Arbres adultes
Les arbres restants atteindront la maturité dans 50 à 60 ans.

INCROYABLE MAIS VRAI

Les Mayas trempaient les pieds dans des jattes de sève blanche, recueillie sur les troncs du caoutchoutier. Puis ils restaient assis les pieds en l'air afin de faire sécher cette sève. Ils obtenaient ainsi des chaussures souples, exactement à leur pointure.

Quelles ont été les conséquences de la Révolution industrielle sur les végétaux ?

Pour en savoir plus, rendez-vous à la page 22 : *Les conifères et leurs cousins.*

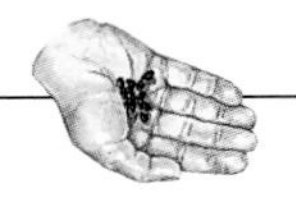

Aider la nature

Les plantes alimentaires et textiles utilisées de nos jours sont le résultat de milliers d'années de recherches. La plupart de leurs ancêtres poussant à l'état sauvage ont disparu. À leur place sont cultivées des plantes qui donnent de meilleures récoltes, parfois deux par an. Leurs graines ou leurs fruits sont de qualité supérieure et elles résistent mieux aux maladies et aux insectes. Les agriculteurs du néolithique sélectionnaient déjà les graines des plantes les plus résistantes. La génétique permet aujourd'hui aux savants de faire des croisements. Les plantes ainsi obtenues ont souvent les meilleures caractéristiques de chacun de ses parents, tout en offrant une amélioration du point de vue génétique. Une autre technique, le clonage, permet de produire un grand nombre de plantes identiques à partir d'une petite quantité de tissu végétal, et même d'une unique cellule de plante adulte. La greffe, technique de multiplication des végétaux, consiste à insérer une partie vivante d'une plante sur une autre, et à la faire pousser dessus. Cette technique est utilisée depuis 2 000 ans.

CLONE
Une cellule prélevée sur une plante adulte et placée dans un tube contenant un gel à base d'hormones de croissance donnera une nouvelle plante : un clone, identique en taille, forme et qualité à la plante originale.

Chou de Milan
Un très gros bourgeon pousse à l'extrémité de la tige.

Brocoli
Il porte de nombreux boutons floraux au sommet de la tige.

CONTRÔLER LES CULTURES
La culture en serre permet de faire mûrir des fruits et des légumes hors saison, ou de produire des plantes qui, normalement, ne poussent que dans les pays chauds. On peut également créer un effet d'ensoleillement grâce à des installations électriques, pour activer la photosynthèse et le développement des fleurs et des fruits.

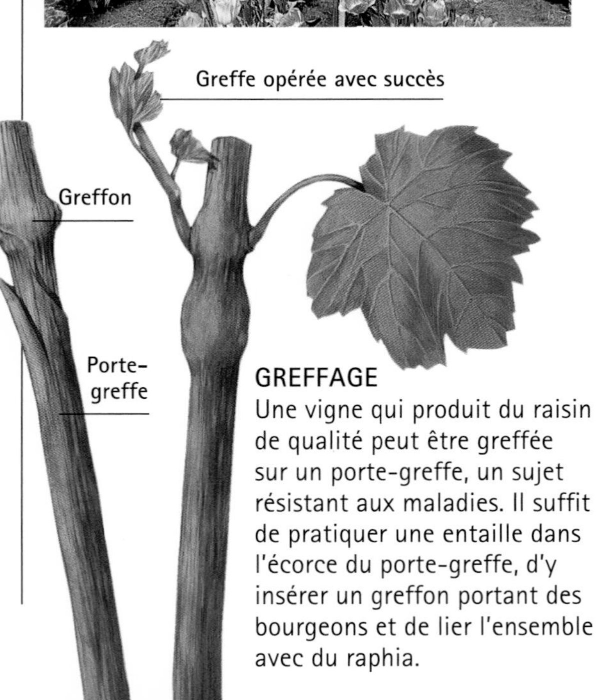

GREFFAGE
Une vigne qui produit du raisin de qualité peut être greffée sur un porte-greffe, un sujet résistant aux maladies. Il suffit de pratiquer une entaille dans l'écorce du porte-greffe, d'y insérer un greffon portant des bourgeons et de lier l'ensemble avec du raphia.

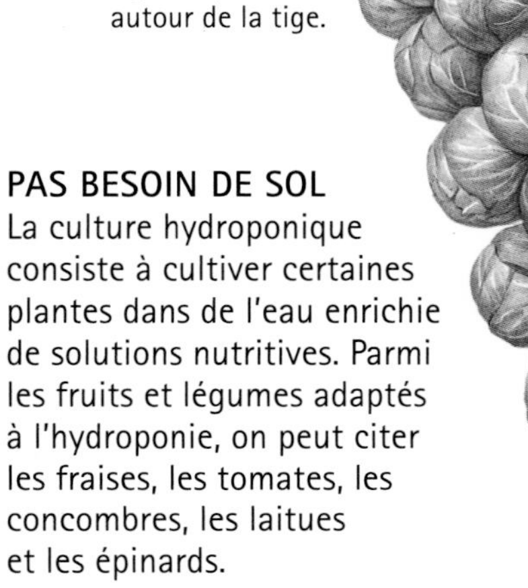

Choux de Bruxelles
De nombreux petits bourgeons poussent autour de la tige.

PAS BESOIN DE SOL
La culture hydroponique consiste à cultiver certaines plantes dans de l'eau enrichie de solutions nutritives. Parmi les fruits et légumes adaptés à l'hydroponie, on peut citer les fraises, les tomates, les concombres, les laitues et les épinards.

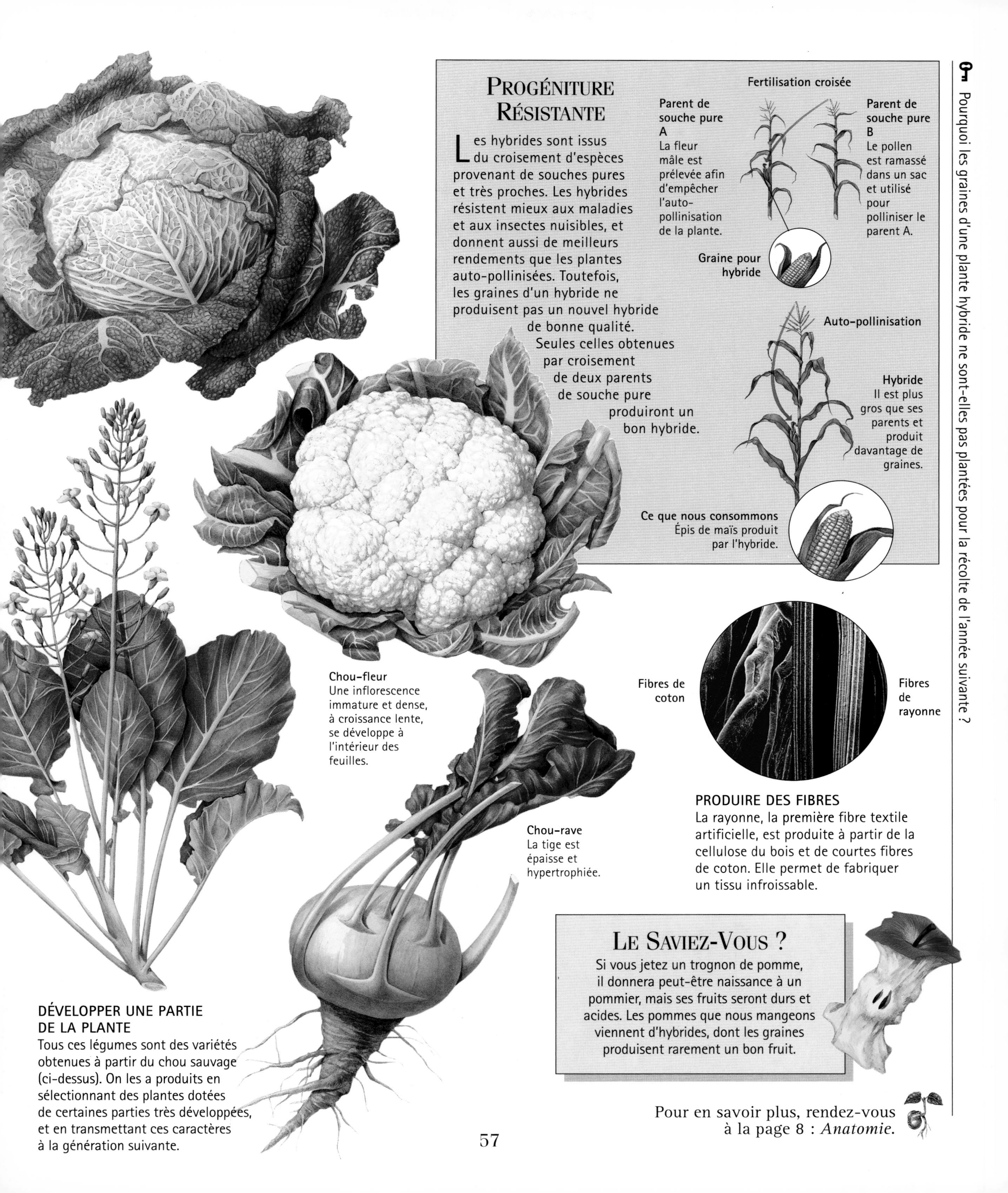

Progéniture Résistante

Les hybrides sont issus du croisement d'espèces provenant de souches pures et très proches. Les hybrides résistent mieux aux maladies et aux insectes nuisibles, et donnent aussi de meilleurs rendements que les plantes auto-pollinisées. Toutefois, les graines d'un hybride ne produisent pas un nouvel hybride de bonne qualité. Seules celles obtenues par croisement de deux parents de souche pure produiront un bon hybride.

Fertilisation croisée

Parent de souche pure A
La fleur mâle est prélevée afin d'empêcher l'auto-pollinisation de la plante.

Parent de souche pure B
Le pollen est ramassé dans un sac et utilisé pour polliniser le parent A.

Graine pour hybride

Auto-pollinisation

Hybride
Il est plus gros que ses parents et produit davantage de graines.

Ce que nous consommons
Épis de maïs produit par l'hybride.

Chou-fleur
Une inflorescence immature et dense, à croissance lente, se développe à l'intérieur des feuilles.

Chou-rave
La tige est épaisse et hypertrophiée.

Fibres de coton

Fibres de rayonne

PRODUIRE DES FIBRES
La rayonne, la première fibre textile artificielle, est produite à partir de la cellulose du bois et de courtes fibres de coton. Elle permet de fabriquer un tissu infroissable.

DÉVELOPPER UNE PARTIE DE LA PLANTE
Tous ces légumes sont des variétés obtenues à partir du chou sauvage (ci-dessus). On les a produits en sélectionnant des plantes dotées de certaines parties très développées, et en transmettant ces caractères à la génération suivante.

Le Saviez-Vous ?

Si vous jetez un trognon de pomme, il donnera peut-être naissance à un pommier, mais ses fruits seront durs et acides. Les pommes que nous mangeons viennent d'hybrides, dont les graines produisent rarement un bon fruit.

Pourquoi les graines d'une plante hybride ne sont-elles pas plantées pour la récolte de l'année suivante ?

Pour en savoir plus, rendez-vous à la page 8 : *Anatomie.*

DENSITÉ DES PLANTES
Les plantes sont indispensables à la vie. En comparant les cartes des zones de chlorophylle actuelles et à venir, on peut contrôler la densité des plantes. Sur cette carte, les zones de forte densité en chlorophylle apparaîssent en vert foncé sur la terre et en rouge sur la mer. Le jaune (sur la terre) et le rose (en mer) indiquent les densités les plus basses.

CONSERVER POUR DEMAIN
Toutes les plantes sont conservées pour le futur. Les graines sont stockées dans des emballages hermétiques ou congelées dans de l'azote liquide. Les plantes sans graines, comme les pommes de terre, sont conservées en laboratoire à l'état de boutures, comme le montre cette illustration.

• LES PLANTES ET L'HOMME •

Le futur

Grâce à la génétique, les plantes donneront sans doute dans l'avenir de meilleurs rendements et des produits plus nourrissants, et seront aussi mieux armées pour résister aux maladies. Elles permettront de fabriquer de nouveaux médicaments. Les combustibles d'origine végétale comme la houille ou le pétrole étant presque épuisés, les plantes offriront peut-être des solutions alternatives. Mais il nous faut éviter de reproduire les erreurs du passé.
De nombreuses espèces végétales se sont éteintes, au fur et à mesure que les plantes sauvages étaient écartées au profit de la culture d'une seule espèce. Toute la connaissance que nous aurions pu acquérir à partir de ces plantes est à jamais perdue. Aujourd'hui, les savants peuvent préserver une plus grande variété d'espèces et de gènes de plantes. Leur importance est capitale pour les besoins futurs de l'humanité.

LES PESTICIDES DU FUTUR
Vaporisés sur les cultures, les pesticides peuvent se révéler nocifs. À titre expérimental, des savants ont implanté un gène, issu d'une bactérie qui tue les chenilles nuisibles, sur des plants de coton. Désormais, les feuilles produisent leur propre pesticide, qui n'est toxique ni pour les animaux, ni pour les hommes.

Le Saviez-Vous ?
Dans certaines régions d'Amérique et d'Europe, les automobilistes font le plein avec un mélange d'essence et d'éthanol. Cet alcool est obtenu par distillation de sucre fermenté de canne à sucre. Et si c'était le carburant de l'avenir ?

RECHERCHE
À l'avenir, les vaccins obtenus à partir des plantes empêcheront peut-être la propagation de nouvelles maladies mortelles. Un virus commun provenant d'une plante, la dolique, a été « mélangé » au virus HIV. Un vaccin contre le sida, obtenu à partir de particules de virus recueillies sur les feuilles de la plante, a été testé avec succès sur des souris.

HABITAT NATUREL
Dans certains pays, on cultive des plantes – ici, l'igname – sur des terres où elles poussent aussi à l'état sauvage. On favorise ainsi la création d'une banque de gènes d'une grande richesse, car les gènes se transmettent entre plantes sauvages et cultivées.

Biodiversité

Les champs de céréales, les forêts et les vergers cultivés ne sont pas des milieux naturels. Une seule espèce de plante y pousse. Dans un milieu naturel, de nombreuses espèces de plantes partagent le même habitat et attirent une faune variée. Cette variété naturelle d'espèces animales et végétales est appelée biodiversité. De nos jours, on fait pousser autour des champs des plantes différentes afin de créer des coupe-vent, d'éviter l'érosion du sol et de détourner la faune qui, sinon, détruirait les cultures. La biodiversité est peut-être la voie du futur.

INDICATEURS DE POLLUTION
Les lichens (ci-dessus) sont très sensibles à la pollution de l'air. Leur absence est un indicateur de haut niveau de pollution. Une concentration de lentilles d'eau et d'algues bleu-vert dans l'eau indique qu'elle est polluée.

Pour en savoir plus, rendez-vous à la page 50 : *Les plantes nourricières.*

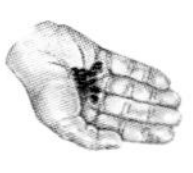

Quel est cet arbre ?

Tous les arbres sont pérennes : ils vivent et poussent pendant plusieurs années, et se reproduisent au moyen de graines. Leurs troncs grossissent d'année en année. Mais c'est par leurs différences qu'on les identifie. La plupart des conifères ont des feuilles en forme d'aiguille toujours vertes, n'ont pas de fleurs et développent des graines à l'intérieur de cônes. Les feuillus sont surtout des arbres à feuilles caduques, avec des fleurs qui donnent naissance à des graines logées dans un fruit. Au sein de ces deux groupes existent de nombreux types d'arbres. La forme de l'arbre, les dessins de son écorce, les feuilles, les cônes et les graines (ou les fleurs et les fruits) permettent de l'identifier. Sur ces pages sont représentés des arbres caractéristiques de leur espèce.

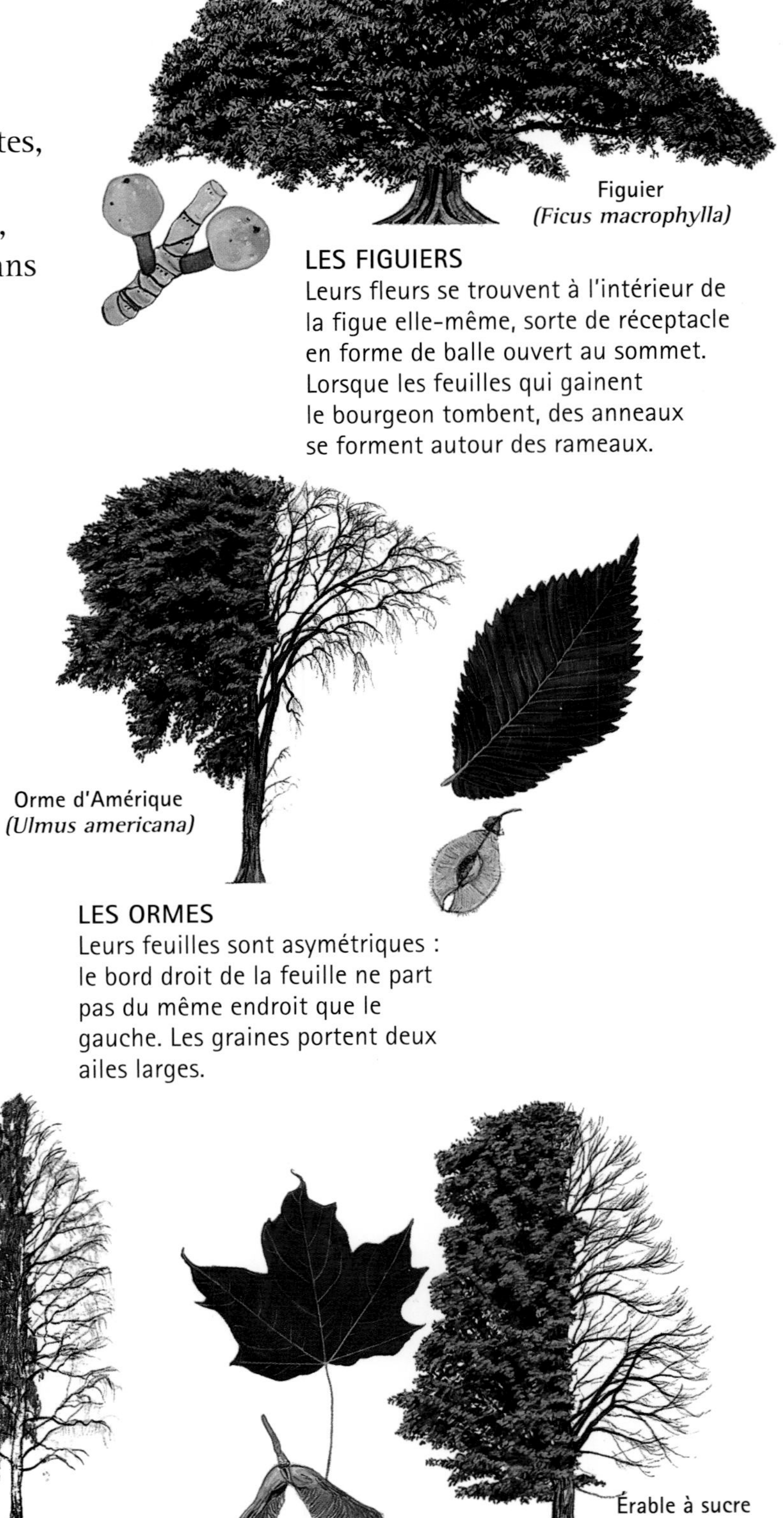

Figuier *(Ficus macrophylla)*

LES FIGUIERS
Leurs fleurs se trouvent à l'intérieur de la figue elle-même, sorte de réceptacle en forme de balle ouvert au sommet. Lorsque les feuilles qui gainent le bourgeon tombent, des anneaux se forment autour des rameaux.

Chêne pédonculé *(Quercus robur)*

LES CHÊNES
Il existe plus de 500 espèces de chênes. Leur fruit, le gland, se développe dans une cupule à la forme caractéristique.

Orme d'Amérique *(Ulmus americana)*

LES ORMES
Leurs feuilles sont asymétriques : le bord droit de la feuille ne part pas du même endroit que le gauche. Les graines portent deux ailes larges.

Hêtre commun *(Fagus sylvatica)*

LES HÊTRES
Les fleurs mâles forment des chatons. Les fleurs femelles sont groupées par deux ou trois dans une capsule ligneuse qui s'ouvre pour libérer des faînes.

Bouleau blanc *(Betula pendula)*

LES BOULEAUX
Les fleurs sont groupées en épis appelés chatons. Les chatons femelles portent des fruits ressemblant à de petits cônes.

Érable à sucre *(Acer saccharum)*

LES ÉRABLES
Leurs feuille ont des lobes (échancrures) profonds. Ses graines sont munies de deux petites ailes qui forment un V très ouvert.

LES CÈDRES

Leurs aiguilles sont disposées en rosettes de vingt éléments sur des rameaux courts. À la différence des aiguilles de pin, elles ne sont pas rassemblées dans une petite gaine. Après avoir perdu leurs graines, les cônes se désagrègent.

LES PINS

En général, leurs aiguilles sont groupées par deux, trois ou cinq. Elles sont rassemblées dans une gaine, à la base d'une petite protubérance.

LES SAPINS

Ils portent des cônes dressés qui se désagrègent après avoir libéré leurs graines, et des aiguilles aplaties qui poussent directement sur les rameaux.

LES FILAOS

Ce sont des arbres à fleurs dont les feuilles, à l'apparence particulière, sont réunies à de petits rameaux.

LES EUCALYPTUS

Les différentes espèces d'eucalyptus ont une écorce à motifs particuliers. La fleur est munie d'un couvercle qui se soulève pour permettre aux insectes, aux oiseaux ou aux mammifères d'atteindre le nectar ou pollen.

LES PALMIERS À FEUILLES PENNÉES

Ils n'ont pas d'écorce. Les feuilles sont composées de segments qui poussent le long d'une unique nervure.

LES « FAUX-CYPRÈS »

Leurs petites feuilles en forme d'échelle sont opposées par paires, et étroitement imbriquées autour des rameaux de couleur verte. Les cônes femelles deviennent souples à maturité.

LES ÉRYTHRINES

Ils ont une écorce épineuse. La fleur a un grand pétale rouge replié et plusieurs autres, plus petits.

Glossaire

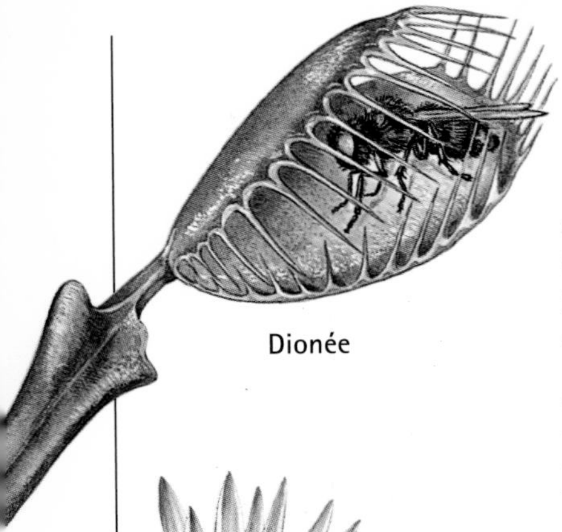

Dionée

Nénuphar

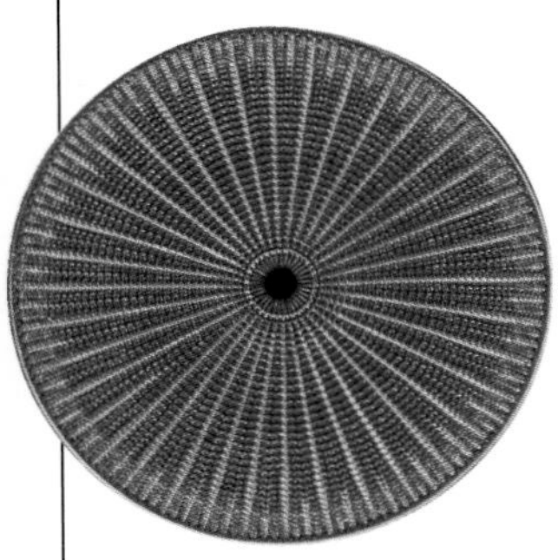

Diatomée

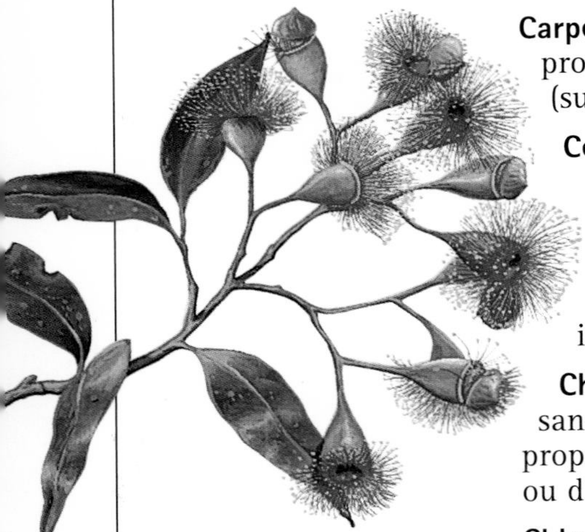

Fleur d'eucalyptus

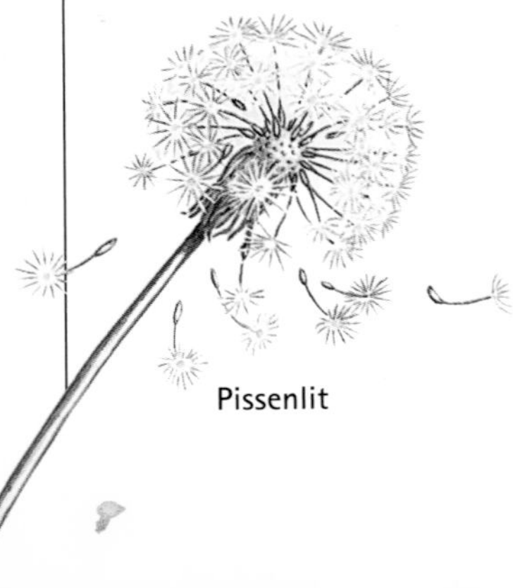

Pissenlit

Algue Végétal inférieur essentiellement aquatique, dépourvu de racines, de tige et de feuilles, mais qui fabrique sa nourriture au moyen de la photosynthèse.

Annuelle Plante annuelle qui a une durée de vie – germination, croissance jusqu'à maturité, production et dispersion des graines puis mort – d'une année seulement.

Anthère Partie de l'étamine (organe de reproduction mâle) qui produit le pollen.

Auto-pollinisation Transport du pollen (mâle) sur le stigmate (femelle) de la même fleur ou d'une fleur d'une même plante. Ce mode de reproduction a tendance à donner des plantes plus faibles après plusieurs générations.

Baliveau Jeune arbre.

Bractée Feuille plus ou moins modifiée, souvent de petite taille, mais quelquefois bien développée et très colorée, située à la base d'une fleur.

Bulbe Organe souterrain formé d'une tige charnue et de feuilles modifiées, chargées de réserves destinées à la plante.

Caduques (arbres à feuilles) Dont les feuilles tombent chaque année, en automne, en hiver ou pendant la saison sèche. Un arbre à feuilles caduques est nu pendant la saison de repos de la végétation. De nouvelles feuilles apparaissent à la période de pousse.

Carpelle Organe femelle des plantes à fleurs produisant des graines. Il comprend le stigmate (sur une tige ou style) et l'ovaire.

Cellule Unité élémentaire de la constitution des plantes et des animaux. Chaque cellule microscopique a une fonction spécifique.

Cellulose Hydrate de carbone constituant les parois cellulaires végétales, auxquelles il donne leur rigidité.

Champignon Organisme proche des végétaux, sans chlorophylle, donc incapable de fabriquer sa propre nourriture. Il se nourrit de tissus de plantes ou d'animaux morts ou vivants qu'il décompose.

Chlorophylle Pigment végétal vert qui absorbe l'énergie solaire pour la photosynthèse (synthèse des éléments nutritifs).

Chloroplaste Petit organe de la cellule végétale contenant de la chlorophylle.

Conifères Arbres, le plus souvent à feuillage persistant, dont les graines sont réunies en cônes et dont les feuilles, très fines, ont la forme d'aiguilles ou d'écailles.

Crampons Racines adventives de diverses plantes aquatiques, comme les algues, qui leur permettent de s'accrocher sur les rochers. Comme le reste de la plante, les crampons absorbent l'eau et les sels minéraux.

Cultivé Se dit d'une plante, semée ou plantée, soignée et récoltée par les hommes.

Dormance État de croissance ralentie d'un végétal dans l'attente de meilleures conditions pour pousser.

Embryon Chez les végétaux, état de la cellule femelle située dans l'ovule après la fécondation et jusqu'à la germination.

Épiphyte Plante qui pousse sur une autre sans en être le parasite. Elle fabrique sa propre nourriture en absorbant l'humidité de l'air ambiant et les sels minéraux à la surface d'un arbre ou d'une autre plante.

Étamine Organe mâle des plantes à fleurs constitué d'une partie grêle, le filet, qui porte à son extrémité l'anthère, où s'élabore le pollen.

Gamète Cellule reproductrice mâle ou femelle.

Gamétophyte Minuscule plante possédant des cellules mâles et femelles ou gamètes. Elle se développe à partir de spores, qui n'ont pas de cellules sexuelles.

Gaz carbonique Gaz absorbé par les plantes pour réaliser la photosynthèse et rejeté par les plantes, les animaux et les hommes au cours de la respiration.

Gène Partie de la cellule qui conserve et transmet les propriétés héréditaires des êtres vivants. Les manipulations génétiques permettent d'introduire des gènes d'un organisme dans un autre.

Germination Ensemble des phénomènes se produisant lorsque la graine donne naissance à une tige et à des racines.

Hôte Plante sur laquelle un parasite vit et dont il se nourrit.

Hybride Plante résultant de deux sujets de variétés ou d'espèces différentes, mais assez voisines pour permettre la fécondation.

Hyphe Filament constituant le corps, ou mycélium, des champignons.

Nectar Liquide sucré sécrété par des glandes spécialisées, à l'intérieur des fleurs. Il attire les insectes, les oiseaux et certains mammifères, qui assurent la pollinisation en transportant le pollen de fleur en fleur.

Nœud Point de la tige d'une plante d'où se développent de nouvelles feuilles, pousses et parfois, des racines.

Nutritives (substances) Substances nécessaires

au maintien de la vie. Chez les végétaux, il s'agit des sels minéraux (généralement puisés dans le sol) et des sucres (obtenus par photosynthèse).

Ovaire Organe femelle où se forment les ovules. Chez les végétaux, après pollinisation et fécondation, l'ovaire forme le fruit.

Ovule Partie de la plante contenant la cellule femelle. L'ovule fécondé se transforme en graine.

Parasite Plante ou champignon qui vit et se nourrit aux dépens d'une autre plante vivante, à laquelle il cause un dommage plus ou moins grave.

Persistant (arbre à feuillage) : qui conserve ses feuilles toute l'année et qui les renouvelle continuellement, et non pendant une saison particulière. Il n'est donc jamais dénudé.

Pétales Pièces généralement très colorées constituant la corolle d'une fleur, attirant les animaux pollinisateurs.

Pharmacologie Science qui étudie les médicaments (dont ceux extraits des plantes) et leur mode d'action sur le corps humain.

Phloème Tissu tubulaire formé de cellules vivantes, qui conduit les substances nutritives comme les sucres et les sels minéraux d'une partie à une autre de la plante.

Photosynthèse Processus qui permet aux végétaux de produire leurs propres substances nutritives, sous la forme de sucres, nécessitant de la lumière, de la chlorophylle, des sels minéraux, de l'eau et du gaz carbonique. Au cours de la photosynthèse, les plantes libèrent de l'oxygène.

Phytoplancton Végétaux microscopiques (généralement des algues) qui flottent sur l'eau ou dérivent.

Plantes textiles Plantes dont les fibres sont tissées pour réaliser des tissus.

Plantule Très jeune plante issue d'une graine.

Pollen Poussière colorée produite dans les fleurs ou les cônes, dont les grains renferment les cellules sexuelles mâles ou gamètes.

Pollinisation Transfert du pollen de l'étamine au stigmate, réalisé généralement par l'intermédiaire des animaux, des insectes, des oiseaux et du vent.

Propager Obtenir une nouvelle plante à partir des graines, de la tige, des rhizomes ou des racines d'une plante mère.

Racines aériennes Racines qui absorbent l'humidité de l'air.

Racines fasciculées Racines qui se développent à partir des nœuds de la tige et non d'une racine pivotante.

Racine pivotante Première racine qui pousse à partir de la graine et peut devenir la racine principale de la plante.

Reproduction Chez les végétaux, obtention d'une nouvelle plante résultant de la rencontre de deux cellules de sexe différent (reproduction sexuée), ou d'autres méthodes, telles que la division d'une cellule, qui ne nécessitent pas de cellules sexuelles (reproduction asexuée).

Respiration Transformation des sucres en énergie nécessaire à la croissance, avec absorption d'oxygène et dégagement de gaz carbonique et de vapeur d'eau.

Rhizome Tige à croissance souterraine ou au ras du sol. Les rhizomes de certains végétaux, sont des réservoirs de nourriture, et chez de nombreuses espèces, ils donnent naissance à de nouvelles plantes.

Sels minéraux Sels provenant de métaux et de roches présents dans la terre, qui sont absorbés par les racines. Ils contiennent de l'azote, du phosphore, du magnésium, du fer, du potassium du calcium et d'autres éléments.

Sève Liquide nourricier des végétaux constitué d'eau, de sucres et de sels minéraux.

Souche (pure) Chez les végétaux, plante obtenue lorsque le pollen féconde un stigmate de la même fleur, sur la même plante ou une plante de la même variété ou espèce.

Sporange Organe où se forment les spores chez certains végétaux, comme les mousses et les fougères.

Spore Cellule reproductrice non sexuée, mais qui donne naissance à un nouveau plant appelé gamétophyte.

Stigmate Renflement terminal du style de l'organe de reproduction femelle de la fleur, qui reçoit le pollen.

Stolon Tige rampante qui pousse sur le sol et développe à son extrémité des racines et des feuilles, formant un nouveau pied.

Stomate Orifice minuscule, généralement situé sous les feuilles, qui permet à la plante les échanges gazeux avec l'extérieur. Les stomates se ferment la nuit ou à l'occasion de très grandes chaleurs.

Transpiration Circulation d'eau depuis les racines vers les tiges et les feuilles. Cette eau s'échappe ensuite dans l'atmosphère par les stomates.

Vivace Plante qui vit plus de deux années.

Vrille Filament s'enroulant autour d'un support qui permet à certaines plantes grimpantes de s'élever.

Xylème Tissu tubulaire de cellules mortes qui transporte l'eau et les sels minéraux depuis les racines de la plante jusqu'à ses feuilles, à travers la tige.

Chardon

Alêne d'une feuille

Roses

Cactus

Cônes et graines de sapin de Douglas

Index

Crédits photographiques

(h=haut, b=bas, g=gauche, d=droite, c=centre, F=fond, C=couverture, D=dos)
Ad-Libitum, 7cd, 24/25c (S. Bowey). **Heather Angel**, 31hd, 41c, 51bc. **Kathie Atkinson**, 35hd. **Auscape**, 6cg, 62cg (H. Conge/Jacana), 26bg (T. De Roy), 12bcg, 12bg, 20hd, 45c, 46hd (J.P. Ferrero), 17hd (W. Lawler), 18cg (R. Morrison), 30c, 59bd. **Austral International**, 52hcg (F. Monaco/Rex Features). **Australian Picture Library**, 42hd (A. Jones), 51bg (L. Meier), 11cd (Minden Pictures), 39bd (O. Strewe). **Bill Bachman**, 24cg, 33bg, 34c. **Biophoto Associates**, 7hc, 7hcg, 10bd, 28hd, 59bc. **The Bridgeman Art Library**, 30bc (Wallace Collection, London). **British Textile Technology Group, Leeds, UK**, 57cd. **Bruce Coleman Limited**, 19cd (J. Burton), 39cd (A. Compost), 28cg (A. Davies), 47hd (N. De Vore), 54cg (T.O. Hansen), 10cg, 41hg (E. Pott), 29cd (S. Prato), 21hg (H. Reinhard), 13cg, 21hc (K. Taylor). **Gerald Cubbit**, 40c. **Ellis Nature Photography**, 37hd (G. Ellis). **The Fairfax Photo Library**, 58bg (Taylor). **Hedgehog House New Zealand**, 44bg (C. Monteath), 45hd (S. Novak). **Heino Lepp**, 21hd. **Lochman Transparencies**, 17hc (E. Boogaard). **Mantis Wildlife**, 22cd (G. Carruthers), 14c (D. Clyne), 31bd (J. Frazier). **Natural Science Photos**, 13bd (J. Burgess). **North Wind Pictures**, 54hg. **Oxford Scientific Films**, 19hd (G.I. Bernard), 48hd (L. & T. Bomford/Survival Anglia), 36bg (M. Fogden), 19hc (London Scientific Films), 53hg (E. Parker), 51cg (R. Singh), 16cg (S. Stammers), 24bg (R.A. Tyrrell). **Peter Arnold, Inc**, 36hg (D.A. Murawski). **The Photo Library, Sydney**, 8hd, 11bc, 11bd (J. Burgess/SPL), 52c (A. Evrard), 53c (S. Fraser/SPL), 59hd (D. Parker/SPL), 14cd, 58h (SPL), 55cg (G. Tompkinson/SPL). **Photographie Bulloz**, 52cg. **Planet Earth Pictures**, 29hd (A. Bartschi), 43bg (J. Eastcott/Y. Momatiuk), 27hd (N. Garbutt), 27bd (Joyce Photographics), 22hd (J. Lythgoe), 8cg (M. Mattock, 8hg (A. Mounter), 43hg (P. Oxford), 21cd (D. Phillips), 46c (W.M. Smithey), 29hg (L. Tackett), 38c (N. Wu). **Royal Botanic Gardens, Sydney**, 48bg (J. Sainty). **Stock Photos**, 50cg (B. Bachman), 31hc (R. Hemingway), 55hd, 56bc (L. Nelson), 32cg (D. Noble), 47bg, 56cg (O. Rogge), 33cg (P. Steel). **Wave Productions**, 59cd (O. Strewe). **Wildlight**, 33bd, 50/51h (P. Quirk).

Illustrations

Susanna Addario, 4bg, 4bc, 4bd, 5bc, 5bd, 56/57c, 56bg, 56hd, 57hd, 57bd. **Jon Gittoes**, 38hd, 39hd. **David Mackay**, 1, 8/9c, 8bg, 8cd, 8bd, 9cd, 9bc, 9bd, 10/11c, 10hg, 10bg, 12bd, 12hg, 13hd, 13hg, 13c, 13bg, 20/21b, 21hd, 21bd, 62bg, 63bcd, 63bd. **Martin Macrae/Folio**, 2, 34/39c, 34cg, 34bg, 34hg, 39cd, 35-38c, 37hg, 37cg, 37cd, 38bd, 63hcd. **Iain McKellar**, 9hd, 14/15b, 14cg, 14hd, 15hg, 15cg, 18/19c, 40g, 40bd, 41hc, 41bg, 41d, 58/59c, 58bc, 63hd. **James McKinnon**, 3, 32/33h, 33c, 54/55b, 54hd, 55hc, 55bd, 62bcg. **David Moore/Linden Artists**, 60/61. **Nicola Oram**, 6/7c, 19hcd, 25bd, 30/31c, 30hg, 30bg, 31cd, 62hg, 63cd, icônes. **Jane Pickering/Linden Artists**, 50bg, 51d. **Trevor Ruth**, 42/43c, 43hd, 46/47c, 46cg, 46b. **Claudia Saraceni**, 52hg, 52bg, 52bd, 53hd, 53cd. **Michael Saunders**, 22g, 22bc, 22bd, 23c, 23hc, 23bd, 28/29c, 28hd, 29bd, 44/45c, 44hg, 45hc. **Kevin Stead**, 48/49c, 48hg, 48cg, 49hg, 49bd, 62hcg. **Thomas Trojer**, 4/5h, 4hg, 5hd, 24hg, 25hd, 25cd. **Rod Westblade, pages de garde**. **Ann Winterbotham**, 16/17c, 16bd, 26/27c, 26hg, 27bd.

Cartes

DiZign

Couverture

Letraset, F. **David Mackay**, Dbd, Chd. **Iain McKellar**, Dhg, Ccg. **Kevin Stead**, Cc.